Recherche et rédaction
Claude-Victor Langlois

Traduction
Sebastian Wierny
Constanza Ruival

Directeur de production
André Duchesne

Édi...
Stéphane G. Marceau

Page couver...
Photostock

Correcteurs
Luis Eduardo Arguedas
Pierre Daveluy

NOS DISTRIBUTEURS

Canada : Guides de Voyage Ulysse, 4176, rue St-Denis, Montréal (Québec) H2W 2M5, ☎(514) 843-9882, poste 2232, ☎1-800-748-9171, fax : (514) 843-9448, www.guidesulysse.com, info@ulysse.ca

États-Unis : Distribooks, 8120 N. Ridgeway, Skokie, IL 60076-2911, ☎(847) 676-1596, fax : (847) 676-1195

Belgique : Presses de Belgique, 117, boulevard de l'Europe, 1301 Wavre, ☎(010) 42 03 30, fax : (010) 42 03 52

France : Vivendi, 3, allée de la Seine, 94854 Ivry-sur-Seine Cedex, ☎01 49 59 10 10, fax : 01 49 59 10 72

Espagne : Altaïr, Balmes 69, E-08007 Barcelona, ☎(3) 323-3062, fax : (3) 451-2559

Italie : Centro cartografico Del Riccio, Via di Soffiano 164 A, 50143 Firenze, ☎(055) 71 33 33, fax : (055) 71 63 50

Suisse : Havas Services Suisse, ☎(26) 460 80 60, fax : (26) 460 80 68

Pour tout autre pays, contactez les Guides de voyage Ulysse (Montréal).

1

TABLE DES MATIÈRES

Données de catalogage avant publication (Canada)

   L'espagnol pour mieux voyager en Espagne
   (Guide de conversation pour le voyage)
   (Guides de voyage Ulysse)
   Comprend un index.

   Pour les voyageurs francophones.
   Textes en français et en espagnol
   ISBN 2-89464-466-3

   1. Espagnol (Langue) - Vocabulaires et manuels de
   conversation. I. Collection. II. Collection: Guide de
   voyage Ulysse.

PC4121.E862 2002   468.3'441   C2002-940278-6

Les Guides de voyage Ulysse reconnaissent l'aide financière du
gouvernement du Canada par l'entremise du Programme d'aide au
développement de l'industrie de l'édition (PADIÉ) pour ses
activités d'édition.

Les Guides de voyage Ulysse tiennent également à remercier le
gouvernement du Québec – Programme de crédit d'impôt pour
l'édition de livres – Gestion SODEC.

Toute photocopie, même partielle, ainsi que toute reproduction,
par quelque procédé que ce soit, sont formellement interdites
sous peine de poursuite judiciaire.

© Guides de voyage Ulysse inc.
Tous droits réservés
Bibliothèque nationale du Québec Dépôt légal -
Deuxième trimestre 2002
ISBN 2-89464-466-3

INTRODUCTION

L'ESPAGNOL D'ESPAGNE

<u>Généralités</u>

- Le *seseo*: les consonnes *c*, *z* et *s* sont prononcées comme *s*.

- Le *yeísme*: les consonnes *y* et *ll* sont nivelées, donnant un seul son, et se prononcent comme *y.*

- Confusion entre *r* et *l*.

- Certaines consonnes comme le *d* sont muettes en fin de syllabe et le *s* peut être aspiré ou non prononcé:

[dedo] [deo]
[desde] [dehde] [dede]
[pasas] [pasah] [pasa]

- Les **archaïsmes:** des mots qui ne s'utilisent plus en Espagne comme *lindo* pour *hermoso* (beau), *prieto* pour *negro* (noir), etc.

- Les **américanismes**: des mots indigènes, tels que *guagua*, qui peuvent avoir différentes significations selon le pays. Guagua: autobus (à Cuba), bébé (au Mexique)

• Le ***voseo***: l'usage systématique du pronom ***vos*** (et des formes verbales correspondantes) dans le traitement de la deuxième personne du singulier: *vos* (*amás*, *temés*, *partís*). Phénomène non généralisé en Amérique, le *voseo* s'utilise surtout en Argentine et en Uruguay.

TRANSCRIPTION PHONÉTIQUE

Dans ce guide de conversation, vous trouverez les mots répartis en trois colonnes, ou sur trois lignes, et ce, dans chacune des sections.

La **première colonne** donne généralement le mot en français.

Vis-à-vis, dans la **deuxième colonne**, vous trouverez sa traduction espagnole.

Finalement, la **troisième colonne** vous indiquera, grâce à une transcription phonétique, comment prononcer ce mot. Cette phonétique a été élaborée spécialement pour les francophones et se veut le plus simple possible.

Vous trouverez parfois les mots en espagnol dans la première colonne, leur traduction en français dans la deuxième et la prononciation du mot espagnol dans la troisième colonne, ceci afin de vous aider à trouver facilement la signification d'un mot lu ou entendu.

N'oubliez pas de consulter les deux **index** à la fin du guide. Le premier rassemble les mots français dont il est question dans le guide et le second réunit les mots espagnols. Vous pouvez donc toujours vous y référer.

Vous remarquerez aussi que les phrases suggérées, en plus d'être traduites en espagnol, sont aussi suivies de la transcription phonétique pour vous aider à les prononcer. Vous trouverez ci-dessous une explication de cette **phonétique**. Retenez que chaque signe se prononce comme en français. Par exemple, le signe *p* dans la phonétique se prononce comme le *p* français et réfère à la lettre *p* en espagnol; le signe *k* dans la phonétique se prononce comme le *k* français, mais peut avoir été utilisé pour le *c*, le *k* ou le *qu* espagnol.

Transcription phonétique	Lettre	Exemple	
b	*b*	*bar*	[bár]
	v	*vino*	[bino]
d	*d*	*dar*	[dár]

Transcription phonétique	Lettre	Exemple	
f	f	fin	[fín]
g	g	gana	[gána]
gn	ñ	caña	[kágna]
h	j	mujer	[mou**h**er]
h	g	gente	[hente]
k	c	cama	[káma]
	k	kilo	[kilo]
	qu	aquí	[akí]
l	l	lado	[ládo]
m	m	mamá	[mamá]
n	n	no	[nó]
p	p	par	[pár]
r	r	pero	[péro]
r	rr	perro	[pé**r**o]
s	s	sol	[sól]
	c	cinco	[sínko]
	z	izquierda	[iskyérda]
t	té		[té]
tch	ch	chico	[tchíko]
a	a	está	[está]
e	e	té	[té]

Transcription phonétique	Lettre	Exemple	
i	*i*	*sí*	[sí]
o	*o*	*no*	[nó]
ou	*u*	*tú*	[toú]
w	*u*	*cuatro*	[kwátro]
y	*y*	*ayer*	[ayér]
i	*ll*	*calle*	[kaye]
	i	*aire*	[áyre]
	y	*hay*	[ái]

Phonèmes

/c/ Tout comme en français, le *c* est doux devant *i* et *e*, et se prononce alors comme un **s**: *cerro* [serro]. Devant les autres voyelles, il est dur: *carro* [karro]. Le *c* est également dur devant les consonnes, sauf devant le *h* (voir plus bas).

/g/ De même que le *c*, le *g* est doux devant *i* et *e,* et s'exprime comme un souffle d'air qui vient du fond de la gorge: *gente* [hente].

Devant les autres voyelles, il est dur: *golf* (se prononce comme en français). Le *g* est également dur devant les consonnes.

11

!

/ch/ Se prononce **tch**, comme dans «Tchad»: *leche* [letche]. Jusqu'en 1995, le *ch* était, tout comme le *ll*, une lettre distincte, listée séparément dans les dictionnaires et dans l'annuaire du téléphone.

/h/ Ne se prononce pas: *hora* [ora].

/j/ Se prononce comme le **h** sonore de «hop».

/ll/ Se prononce comme le **i**: *llamar* [iamar]. Jusqu'en 1995, il s'agissait d'une lettre, listée séparément dans les dictionnaires et dans l'annuaire de téléphone.

/ñ/ Se prononce comme le **gn** de «beigne»: *señora* [segnora].

/r/ Plus roulé et mois guttural qu'en français.

/s/ Se prononce toujours comme le **s** de «singe»: *casa* [cassa].

/v/ Se prononce comme **v**: *vino* [vino].

/z/ Se prononce comme **z**: *paz* [pass].

Voyelles

/e/ Se prononce toujours comme un **é**: *helado* [elado], sauf lorsqu'il précède deux consonnes, auquel cas il se prononce comme un **è**: *encontrar* [èncontrar].

/u/ Se prononce toujours comme **ou**: *cuenta* [couenta].

/y/ Se prononce généralement comme un **i**: *y* (i).

Toutes les autres lettres se prononcent comme en français.

Accent tonique

L'accent **tonique espagnol** est de type **lexical**, c'est-à-dire que le mot conserve toujours le même accent quelle que soit sa place dans la phrase, alors qu'en français le mot perd son accent au profit du groupe de mots (accent **syntaxique**).

En espagnol, chaque mot comporte une syllabe plus accentuée, «**l'accent tonique**», qui est très important, s'avérant souvent nécessaire pour la compréhension de vos interlocuteurs. Si, dans un mot, une voyelle porte un accent aigu (le seul accent orthographique utilisé en espagnol), c'est

13

cette syllabe qui doit être accentuée, car, en cas contraire, on peut changer la signification du mot ou exprimer un temps de verbe différent comme dans les cas suivants:

cantará	(futur)
cantara	(subjonctif)
cántara	(nom)
calculó	(passé simple)
calculo	(présent)
cálculo	(nom)
depositó	(passé simple)
deposito	(présent)
depósito	(nom)

S'il n'y a pas d'accent sur le mot, il faut suivre la simple règle qui consiste à accentuer l'avant-dernière syllabe de tout mot qui se termine par une voyelle:

amigo, casa, barco.

On doit accentuer la dernière syllabe de tout mot qui se termine par une consonne sauf **s** (pluriel des noms et adjectifs) ou **n** (pluriel des verbes):
amigos, hablan.

*alcoh**ol**, men**tol**, a**zul**, na**riz**, co**rrer**, us**ted**, es**toy**,*
*re**loj***

N.B. Dans la phonétique de ce guide, nous avons indiqué par un accent la syllabe qui doit être accentuée lors de la prononciation.

Quelques conseils

Lisez à haute voix.

Écoutez des chansons du pays en essayant de comprendre certains mots.

Faites des associations d'idées pour mieux retenir les mots et le système linguistique. Ainsi, en espagnol, retenez qu'une terminaison en *o* désigne presque toujours un mot masculin, tandis que les terminaisons en *a* sont généralement réservées aux mots féminins. À titre d'exemple, le prénom *Julio* (Julio Iglesias) est masculin, alors que *Gloria* (Gloria Estefan) est féminin.

Faites aussi des liens entre le français et l'espagnol. Par exemple, «dernier» se dit *último* en espagnol, un terme voisin d'«ultime» en français. Dans le même ordre d'idées, «excusez-moi» se traduit par *excúseme*, *disculpe*, *perdone*, alors qu'on dit également en français «se disculper».

Essayez par ailleurs de déduire par vous-même les dérivés de certains mots courants tels que *lento* et *lentamente* pour «lent» et «lentement». Vous élargirez ainsi plus rapidement votre vocabulaire.

GRAMMAIRE - *GRAMÁTICA*

Le féminin et le masculin

En espagnol, les mots masculins se terminent souvent par *o* et les mots féminins par *a*. Par exemple:

La luna **La lune**
El castillo **Le château**

Cependant, il y a des exceptions. Par exemple:

El sol **Le soleil**
El corazón **Le cœur**
La mujer **La femme**
La calle **La rue**

Élimination du pronom personnel

En espagnol, le pronom personnel est généralement omis. Ainsi, pour dire «je voyage beaucoup», on ne dit pas *yo viajo mucho*, mais plutôt *viajo mucho*. Aussi, pour dire «tu viens avec moi», on ne dit pas *tu vienes conmigo*, mais plutôt *vienes conmigo*. Par exemple:

Voy a la playa. **Je vais à la plage.**
Andamos juntos. **Nous marchons ensemble.**

La négation

L'usage de la négation est très simple en espagnol. Il suffit de mettre **no** devant le verbe. Par exemple:

No voy a la playa.
Je ne vais pas à la plage.

No come carne.
Il ne mange pas de viande.

¿No vienes conmigo?
Ne viens-tu pas avec moi?

Dans la négation, l'utilisation du pronom personnel est cependant plus fréquente et sert à mettre l'emphase sur la personne. Il faut alors placer **no** entre le pronom personnel et le verbe. Par exemple:

Tú no vas a la discoteca.
Tu ne vas pas à la discothèque.

Yo no quiero verte.
Je ne veux pas te voir.

L'article partitif

L'article partitif «du» et son pluriel «des» n'existent pas en espagnol. Par exemple:

Comemos pan. **Nous mangeons du pain.**
Compro ropa. **J'achète des vêtements.**

L'article défini

L'article défini est utilisé comme en français, soit devant le mot qu'il désigne. La seule différence est qu'au pluriel l'article défini s'accorde en genre. Par exemple:

Au féminin pluriel:

Las flores **Les fleurs**
Las bibliotecas **Les bibliothèques**

Au masculin pluriel:

Los árboles **Les arbres**
Los libros **Les livres**

De plus, *el* est équivalent de «le» en français (masculin singulier). Par exemple:

El perro **Le chien**
El gato **Le chat**

La est l'équivalent de «la» en français (féminin singulier). Par exemple:

La playa **La plage**

L'article indéfini

L'article indéfini s'utilise comme en français au singulier. Cependant, l'article indéfini s'accorde en genre au pluriel. Par exemple:

Au féminin pluriel:

Unas amigas **Des amies**
Unas mesas **Des tables**

Au masculin pluriel:

Unos amigos. **Des amis.**
Unos vasos. **Des verres.**

Au singulier, l'article indéfini masculin est *un*, comme en français. Par exemple:

Un amigo **Un ami**

Au singulier, l'article indéfini féminin est **una**. Par exemple:

Una casa **Une maison**

Vouvoiement et tutoiement

Le *tuteo*

Pour tutoyer, en Espagne, on utilise le pronom *tú* au singulier (2ᵉ personne) et le pronom *vosotros* pour s'adresser, de manière informelle, à plusieurs personnes (2ᵉ personne du pluriel).

Tú hablas. **Tu parles.**
Vosotros cantáis. **Vous chantez.**

Forme polie

Les formules de politesse requièrent, quant à elles, l'utilisation de la troisième personne.

Ainsi, pour vous adresser à une seule personne, utilisez la troisième personne du singulier: *usted*.

Usted es muy buen guía.
Vous êtes un très bon guide.

Grammaire

¿Tiene usted una habitación libre?
Avez-vous une chambre libre?

Si vous vous adressez à plusieurs personnes à la
fois, utilisez la troisième personne du pluriel:
ustedes.

Ustedes son muy amables.
Vous êtes très aimables.

¿Saben ustedes quién es el chofer?
Savez-vous qui est le chauffeur?

L'impératif

Si vous connaissez le présent de l'indicatif des
verbes réguliers, vous pourrez donner des ordres
sans peine.

L'impératif en espagnol n'est ainsi que la troisième
personne de l'indicatif présent. Par exemple:

Por favor sube mis maletas a la habitación.
S'il te plaît, monte mes valises à la chambre.

Cierra la puerta. **Ferme la porte.**

Si vous utilisez la forme polie, avec *usted*, il faut changer la terminaison du verbe régulier à l'infinitif par:

verbes en *ar: e*
verbes en *ir* et *er: a*

Par exemple:

*Por favor, sub**a** usted mis maletas (sub**ir**: sub**a**).*
*Compre un billete para mi, por favor (compr**ar**: compr**e**).*
Achetez-moi un billet, s'il vous plaît.

Si vous avez à donner des ordres à plusieurs personnes, vous devez remplacer la terminaison du verbe régulier à l'infinitif par:
verbe en *ar: ad*
verbe en *ir: id*
verbe en *er: ed*

Par exemple :
Hablad más despacio (hablar: hablad).
Parlez plus lentement.

S'il vous plaît, montez mes valises.
Por favor, subid mis maletas (subir: subid)

Poned mis maletas aqui (Poner: poned).
Posez mes valises ici.

Le passé simple

Contrairement au français, le passé simple est utilisé fréquemment dans la langue parlée. Ainsi, pour toute action qui s'est déroulée dans une période de temps passée, il faut utiliser le passé simple. Par exemple:

Ayer, fuimos al museo.
Hier nous fûmes au musée.

El año pasado gané mucho dinero.
L'an passé, je gagnai beaucoup d'argent.

Le passé composé est employé lorsque la période de temps à laquelle on se réfère ne s'est pas encore écoulée. Par exemple:

Hoy hemos ido al museo.
Aujourd'hui, nous sommes allés au musée.

Este año he ganado mucho dinero.
Cette année, j'ai gagné beaucoup d'argent.

Grammaire

LES VERBES

Il y a, en espagnol comme en français, trois groupes de verbes qui se distinguent d'après les terminaisons de l'infinitif qui sont -*ar*, -*er* et -*ir*.

Notez que, faute d'espace, nous n'avons pas mentionné les pronoms personnels dans la conjugaison des verbes. Ils devraient toujours se lire comme suit:

	Français	*Español*
1re pers. du singulier	Je	*Yo*
2e pers. du singulier	Tu	*Tú*
3e pers. du singulier	Il, Elle	*Él, Ella, Usted*
1re pers. du pluriel	Nous	*Nosotros (as)*
2e pers. du pluriel	Vous	*Vosotros (as)*
3e pers. du pluriel	Ils, Elles	*Ellos, Ellas, Ustedes*

Ier groupe (verbes en - *ar*)

aimer – *amar*

Infinitif – *Infinitivo*

Simple	*Simple*	Composé	*Compuesto*
aimer	*amar*	**avoir aimé**	*haber amado*

Participe – *Participio*

Présent	*Presente*	Passé	*Pasado*
aimant	*amando*	aimé-ée	*amado*
		ayant aimé	*habiendo amado*

Indicatif – *Indicativo*

Présent	*Presente*	Passé composé	*Pasado compuesto*
aime	*amo*	ai aimé	*he amado*
aimes	*amas*	as aimé	*has amado*
aime	*ama*	a aimé	*ha amado*
aimons	*amamos*	avons aimé	*hemos amado*
aimez	*amáis*	avez aimé	*habéis amado*
aiment	*aman*	ont aimé	*han amado*

Imparfait	*Imperfecto*	Plus-que-parfait	*Pluscuam-perfecto*
aimais	*amaba*	avais aimé	*había amado*
aimais	*amabas*	avais aimé	*habías amado*
aimait	*amaba*	avait aimé	*había amado*
aimions	*amábamos*	avions aimé	*habíamos amado*

| aimiez | amabais | aviez aimé | habíais amado |
| aimaient | amaban | avaient aimé | habían amado |

Passé simple	Pasado Simple	Futur simple	Futuro
aimai	amé	aimerai	amaré
aimas	amaste	aimeras	amarás
aima	amó	aimera	amará
aimâmes	amamos	aimerons	amaremos
aimâtes	amasteis	aimerez	amaréis
aimèrent	amaron	aimeront	amarán

2e groupe (verbes en - er)

craindre – *temer*

Infinitif – *Infinitivo*

Simple	*Simple*	Composé	*Compuesto*
craindre	temer	avoir craint	haber temido

Participe – *Participio*

Présent	*Presente*	Passé	*Pasado*
craignant	temiendo	craint	temido
		ayant craint	habiendo temido

Indicatif – *Indicativo*

Présent	*Presente*	Passé composé	*Pasado compuesto*
crains	*temo*	ai craint	*he temido*
crains	*temes*	as craint	*has temido*
craint	*teme*	a craint	*ha temido*
craignons	*tememos*	avons craint	*hemos temido*
craignez	*teméis*	avez craint	*habéis temido*
craignent	*temen*	ont craint	*han temido*

Imparfait	*Imperfecto*	Plus-que-parfait	*Pluscuam-perfecto*
craignais	*temía*	avais craint	*había temido*
craignais	*temías*	avais craint	*habías temido*
craignait	*temía*	avait craint	*había temido*
craignions	*temíamos*	avions craint	*habíamos temido*
craigniez	*temíais*	aviez craint	*habíais temido*
craignaient	*temían*	avaient craint	*habían temido*

Passé simple	*Pasado simple*	Futur simple	*Futuro*
craignis	*temí*	craindrai	*temeré*
craignis	*temiste*	craindras	*temerás*
craignit	*temió*	craindra	*temerá*
craignîmes	*temimos*	craindrons	*temeremos*

| craignîtes | temisteis | craindrez | temeréis |
| craignirent | temieron | craindront | temerán |

3e groupe (verbes en – *ir*)

partir – *partir*

Infinitif – *Infinitivo*

Simple	*Simple*	Composé	*Compuesto*
partir	*partir*	**être parti**	*haber partido*

Participe – *Participio*

Présent	*Présente*	Passé	*Pasado*
partant	*partiendo*	**parti-ie**	*partido*
		étant parti	*habiendo partido*

Indicatif – *Indicativo*

Présent	*Presente*	Passé composé	*Pasado compuesto*
pars	*parto*	**suis parti**	*he partido*
pars	*partes*	**es parti**	*has partido*
part	*parte*	**est parti**	*ha partido*
partons	*partimos*	**sommes partis**	*hemos partido*

| partez | partís | êtes partis | habéis partido |
| partent | parten | sont partis | han partido |

Imparfait	Imperfecto	Plus-que-parfait	Pluscuamperfecto
partais	partía	étais parti	había partido
partais	partías	étais parti	habías partido
partait	partía	était parti	había partido
partions	partíamos	étions partis	habíamos partido
partiez	partíais	étiez partis	habíais partido
partaient	partían	étaient partis	habían partido

Passé simple	Pasado simple	Futur simple	Futuro
partis	partí	partirai	partiré
partis	partiste	partiras	partirás
partit	partió	partira	partirá
partîmes	partimos	partirons	partiremos
partîtes	partisteis	partirez	partiréis
partirent	partieron	partiront	partirán

Le verbe «être»

En espagnol, le verbe «**être**» s'exprime par deux verbes irréguliers: *ser* et *estar*.

Ser indique d'une manière générale un état permanent. Plus spécifiquement:

a) L'occupation

Je suis touriste. *Yo soy turista.* [yo sói turísta]

b) La couleur

Le pantalon est noir. *El pantalón es negro.* [el pantalón es négro]

c) La qualité

La piscine est petite. *La piscina es pequeña.* [la pisína es pekégna]

d) La possession

C'est le passeport de María. *El pasaporte es de María.* [el pasapórté es de maría]

e) L'origine

Tu es du Chili. *Tú eres de Chile.* [tú éres de tchíle]

f) La nationalité

Lola est Espagnole. *Lola es Española.* [lóla es espagnóla]

g) La matière

La boîte est en cuir. *La caja es de piel.* [la káha es de pjél]

Estar indique d'une manière générale un état temporaire; sert à localiser les personnes ou les objets et à décrire les états ponctuels.

a) Je suis (vais) bien.   *Estoy bien.*   [estói bjén]

b) Madrid est (se trouve) en Espagne.   *Madrid está en España.*   [la abána está en kúba]

être – *ser*

Infinitif – *Infinitivo*

Simple	*Simple*	Composé	*Compuesto*
être	*ser*	**avoir été**	*haber sido*

Participe – *Participio*

Présent	*Presente*	Passé	*Pasado*
étant	*siendo*	**été**	*sido*
		ayant été	*habiendo sido*

Indicatif – *Indicativo*

Présent	*Presente*	Passé composé	*Pasado compuesto*
suis	*soy*	**ai été**	*he sido*
es	*eres*	**as été**	*has sido*
est	*es*	**a été**	*ha sido*
sommes	*somos*	**avons été**	*hemos sido*
êtes	*sois*	**avez été**	*habéis sido*
sont	*son*	**ont été**	*han sido*

Imparfait	*Imperfecto*	Plus-que-parfait	*Pluscuamperfecto*
étais	*era*	**avais été**	*había sido*
étais	*eras*	**avais été**	*habías sido*
était	*era*	**avait été**	*había sido*
étions	*éramos*	**avions été**	*habíamos sido*
étiez	*erais*	**aviez été**	*habíais sido*
étaient	*eran*	**avaient été**	*habían sido*

Passé simple	*Pasado simple*	Futur simple	*Futuro*
fus	*fui*	**serai**	*seré*
fus	*fuiste*	**seras**	*serás*
fut	*fue*	**sera**	*será*
fûmes	*fuimos*	**serons**	*Seremos*

Grammaire

fûtes	*fuisteis*	**serez**	*seréis*
furent	*fueron*	**seront**	*serán*

être – *estar*

Infinitif – *Infinitivo*

Simple	*Simple*	Composé	*Compuesto*
être	*estar*	**avoir été**	*haber estado*

Participe – *Participio*

Présent	*Presente*	Passé	*Pasado*
étant	*estando*	**été**	*estado*
		ayant été	*habiendo estado*

Indicatif – *Indicativo*

Présent	*Presente*	Passé composé	*Pasado compuesto*
suis	*estoy*	**ai été**	*he estado*
es	*estás*	**as été**	*has estado*
est	*está*	**a été**	*ha estado*
sommes	*estamos*	**avons été**	*hemos estado*
êtes	*estáis*	**avez été**	*habéis estado*
sont	*están*	**ont été**	*han estado*

Imparfait	*Imperfecto*	Plus-que-parfait	*Pluscuam-perfecto*
étais	*estaba*	**avais été**	*había estado*
étais	*estabas*	**avais été**	*habías estado*
était	*estaba*	**avait été**	*había estado*
étions	*estábamos*	**avions été**	*habíamos estado*
étiez	*estabais*	**aviez été**	*habíais estado*
étaient	*estaban*	**avaient été**	*habían estado*

Passé simple	*Pasado simple*	Futur simple	*Futuro*
fus	*estuve*	**serai**	*estaré*
fus	*estuviste*	**seras**	*estarás*
fut	*estuvo*	**sera**	*estará*
fûmes	*estuvimos*	**serons**	*estaremos*
fûrent	*estuvisteis*	**serez**	*estaréis*
furent	*estuvieron*	**seront**	*estarán*

Le verbe «avoir»

L'équivalent d'«**avoir**» en espagnol est le verbe irrégulier *tener*; on le conjugue comme suit:

Grammaire

35

avoir – *tener*

Infinitif – *Infinitivo*

Simple	*Simple*	Composé	*Compuesto*
avoir	*tener*	avoir eu	*haber tenido*

Participe – *Participio*

Présent	*Presente*	Passé	*Pasado*
ayant	*teniendo*	eu-eue	*tenido*
		ayant eu	*habiendo tenido*

Indicatif – *Indicativo*

Présent	*Presente*	Passé composé	*Pasado compuesto*
ai	*tengo*	ai eu	*he tenido*
as	*tienes*	as eu	*has tenido*
a	*tiene*	a eu	*ha tenido*
avons	*tenemos*	avons eu	*hemos tenido*
avez	*tenéis*	avez eu	*habéis tenido*
ont	*tienen*	ont eu	*han tenido*

Imparfait	*Imperfecto*	Plus-que-parfait	*Pluscuam-perfecto*
avais	*tenía*	**avais eu**	*había tenido*
avais	*tenías*	**avais eu**	*habías tenido*
avait	*tenía*	**avait eu**	*había tenido*
avions	*teníamos*	**avions eu**	*habíamos tenido*
aviez	*teníais*	**aviez eu**	*habíais tenido*
avaient	*tenían*	**avaient eu**	*habían tenido*

Passé simple	*Pasado simple*	Futur simple	*Futuro*
eus	*tuve*	**aurai**	*tendré*
eus	*tuviste*	**auras**	*tendrás*
eut	*tuvo*	**aura**	*tendrá*
eûmes	*tuvimos*	**aurons**	*tendremos*
eûtes	*tuvisteis*	**aurez**	*tendréis*
eurent	*tuvieron*	**auront**	*tendrán*

D'autres verbes – *Otros verbos*

Infinitif

ouvrir	*abrir*	[abrír]
aller	*ir*	[ir]
venir	*venir*	[benír]
donner	*dar*	[dar]

Grammaire

37

pouvoir	*poder*	[podér]
vouloir	*querer*	[kerér]
parler	*hablar*	[ablár]
manger	*comer*	[komér]

Présent de l'indicatif (1re personne)

ouvre	*abro*	[ábro]
vais	*voy*	[bói]
viens	*vengo*	[béngo]
donne	*doy*	[dói]
peux	*puedo*	[pwédo]
veux	*quiero*	[kjéro]
parle	*hablo*	[áblo]
mange	*como*	[kómo]

Imparfait (1re personne)

ouvrais	*abría*	[abría]
allais	*iba*	[íba]
venais	*venía*	[benía]
donnais	*daba*	[dába]
pouvais	*podía*	[podía]
voulais	*quería*	[kería]
parlais	*hablaba*	[ablába]
mangeais	*comía*	[komía]

Grammaire

38

Futur (1re personne)

ouvrirai	*abriré*	[abriré]
irai	*iré*	[iré]
viendrai	*vendré*	[bendré]
donnerai	*daré*	[daré]
pourrai	*podré*	[podré]
voudrai	*querré*	[keré]
parlerai	*hablaré*	[ablaré]
mangerai	*comeré*	[komeré]

MOTS ET EXPRESSIONS USUELS - *PALABRAS Y EXPRESIONES USUALES*

Oui	*Sí*	[sí]
Non	*No*	[no]
Peut-être	*Puede ser*	[pwéde ser]
Excusez-moi	*Perdone*	[perdóne]
Bonjour (forme familière)	*¡Hola!*	[óla]
Bonjour (le matin)	*Buenos días*	[bwénos días]
Bonjour (après-midi)	*Buenas tardes*	[bwénas tárdes]
Bonsoir	*Buenas tardes*	[bwénas tárdes]
Bonne nuit	*Buenas noches*	[bwénas nótches]
Salut	*¡adios!*	[adyós]
Au revoir	*Hasta la vista*	[ásta la vísta]
	Hasta luego	[ásta louégo]
Merci	*Gracias*	[grásyas]
Merci beaucoup	*Muchas gracias*	[mútchas grásyas]
S'il vous plaît	*Por favor*	[por favor]
Je vous en prie (il n'y a pas de quoi, de rien)	*De nada, por nada*	[de náda | por náda]
Comment allez-vous?	*¿Cómo está ud.?, ¿Qué tal?*	[kómo está ousté | ke tál]
Très bien, et vous?	*Muy bien, ¿y usted?*	[mwí byén | i ousté]

Très bien, merci	*Muy bien, gracias*	[mwí byén	grásyas]
Où se trouve…?	*¿Dónde se encuentra…?*	[dónde se:nkwéntra]
Où se trouve l'hôtel…?	*¿Dónde se encuentra el hotel…?*	[dónde se:nkwéntra el otél]
Est-ce qu'il y a…?	*¿Hay…?*	[ái]
Est-ce qu'il y a une piscine?	*¿Hay una piscina?*	[ái oúna pisína]
Est-ce loin d'ici?	*¿Está lejos de aquí?*	[está léhos de akí]
Est-ce près d'ici?	*¿Está cerca de aquí?*	[está sérka de akí]
ici	*aquí*	[akí]
là	*ahí*	[aí]
à droite	*a la derecha*	[a la derétcha]
à gauche	*a la izquierda*	[a la iskyérda]
tout droit	*derecho, derechito*	[derétcho	deretchíto]
avec	*con*	[kón]
sans	*sin*	[sín]
beaucoup	*mucho*	[moútcho]
peu	*poco*	[póko]
souvent	*a menudo*	[a menoúdo]
de temps à autre	*de tiempo en tiempo*	[de tyémpo en tyémpo]
quand	*cuando*	[kwándo]
très	*muy*	[mwí]
aussi	*también*	[tambyén]

Mots et expressions usuels

dessus (sur, au-dessus de)	encima (sobre, por encima de)	[ensíma (sóbre | por ensíma de)]
dessous (sous, en dessous de)	debajo (bajo, por debajo de)	[debáho (báho | por debáho de)]
en haut	arriba	[arríba]
en bas	abajo	[abáho]

Excusez-moi, je ne comprends pas.
Discúlpeme, no comprendo.
[discúlpeme no kompréndo]

Pouvez-vous parler plus lentement, s'il vous plaît?
¿Puede usted hablar más lentamente, por favor?
[pwéde ousté ablár más léntaménte por fabór]

Pouvez-vous répéter, s'il vous plaît?
¿Puede usted repetir, por favor?
[pwéde oustéd repetír \| por favór]

Parlez-vous français?
¿Habla usted francés?
[ábla oustéd fransés]

Je ne parle pas l'espagnol.
Yo no hablo español.
[yo no áblo espagnól]

Mots et expressions usuels

43

Y a-t-il quelqu'un ici qui parle français?
¿Hay alguien aquí que hable francés?
[ayálgyen akí ke áble fransés]

Y a-t-il quelqu'un ici qui parle anglais?
¿Hay alguien aquí que hable inglés?
[ayálgyen akí ke áble inglés]

Est-ce que vous pouvez me l'écrire?
¿Puede usted escribírmelo?
[pwéde ousté eskribírmelo]

Qu'est-ce que cela veut dire?
¿Qué quiere decir eso?
[ke kyére desír éso]

Que veut dire le mot...?
¿Qué quiere decir la palabra…?
[ke kyére desír la palábra…]

Je comprends.
Comprendo.
[kompréndo]

Vous comprenez?
¿Comprende usted?
[kompPrénde oustéd]

En français, on dit...
En francés se dice...
[en fransés se díse]

En anglais, on dit...
En inglés se dice...
[en inglés se díse]

Pouvez-vous me l'indiquer dans le livre?
¿Puede usted indicármelo en el libro?
[pwéde ousté indikármelo en el líbro]

Puis-je avoir...?
¿Puedo tener...?
[pwédo tenér...]

Je voudrais avoir...
Desearía tener...
[desearía]

Je ne sais pas.
Yo no sé.
[yo no sé]

LES NOMBRES -
LOS NÚMEROS

un	*uno, una*	[oúno | oúna]
deux	*dos*	[dós]
trois	*tres*	[trés]
quatre	*cuatro*	[kwátro]
cinq	*cinco*	[sínko]
six	*seis*	[séys]
sept	*siete*	[syéte]
huit	*ocho*	[ótcho]
neuf	*nueve*	[nwébe]
dix	*diez*	[dyés]
onze	*once*	[ónse]
douze	*doce*	[dóse]
treize	*trece*	[tróse]
quatorze	*catorce*	[katórse]
quinze	*quince*	[kínse]
seize	*dieciséis*	[dyesiséys]
dix-sept	*diecisiete*	[dyesisyéte]
dix-huit	*dieciocho*	[dyesyótcho]
dix-neuf	*diecinueve*	[dyesinwébe]
vingt	*veinte*	[véynte]
vingt et un	*veintiuno*	[veyntyúno]
vingt-deux	*veintidós*	[veyntidós]
trente	*treinta*	[tréynta]

trente et un	*treinta y uno*	[treyntayoúno]
trente-deux	*treinta y dos*	[treyntaidós]
quarante	*cuarenta*	[kwarénta]
quarante et un	*cuarenta y uno*	[kwarentaiúno]
cinquante	*cincuenta*	[sinkwénta]
soixante	*sesenta*	[sesénta]
soixante-dix	*setenta*	[seténta]
quatre-vingt	*ochenta*	[otchénta]
quatre-vingt-dix	*noventa*	[nobénta]
cent	*cien/ciento*	[syén | syénto]
deux cents	*doscientos*	[dosyéntos]
deux cent quarante-deux	*doscientos cuarenta y dos*	[dosyéntos | kwarentaidos]
cinq cents	*quinientos*	[kinyéntos]
mille	*mil*	[míl]
dix mille	*diez mil*	[dyés míl]
un million	*un millón*	[oun miyón]

Pour «**trente**» et «**quarante**», comme on peut voir ci-dessus, et les autres nombres jusqu'à quatre-vingt-dix, on doit ajouter au nombre en question *y* + *uno*, *dos*, *tres*, etc. À partir de «**cent**», c'est comme en français.

LES COULEURS –
LOS COLORES

blanc	*blanco/a*	[blánco/a]
noir	*negro/a*	[négro/a]
rouge	*rojo/a*	[róho/a]
vert	*verde*	[vérde]
bleu	*azul*	[azúl]
jaune	*amarillo*	[amaríyo]

L'HEURE ET LE TEMPS -
HORA Y TIEMPO

Heure – *Hora*

Quelle heure est-il?	*¿Qué hora es?*	[ke óra es]
Il est une heure.	*Es la una.*	[es la oúna]
Il est deux heures.	*Son las dos.*	[són las dós]
trois heures et demie	*tres y media*	[tresimédya]
quatre heures et quart	*cuatro y cuarto*	[kwátro i kwarto]
cinq heures moins le quart	*cinco menos cuarto*	[sínko ménos kwárto]
six heures et cinq	*seis y cinco*	[séisi sínko]
sept heures moins dix	*siete menos diez*	[syéte ménos dyés]

dans un quart d'heure	*en un cuarto de hora*	[en oún kwárto de óra]
dans une demi-heure	*en media hora*	[en médya óra]
dans une heure	*en una hora*	[en oúna óra]
dans un instant	*en un instante, en un momento*	[en oun istánte | en oun moménto]
un instant, s'il vous plaît	*un momento, por favor*	[oun moménto | por fabór]
Quand?	*¿Cuándo?*	[kwándo]
tout de suite	*enseguida*	[enségída]
maintenant	*ahora*	[aóra]
ensuite	*después*	[despwés]
plus tard	*más tarde*	[más tárde]
Je reviendrai dans une heure.	*Volveré en una hora.*	[bolberé:n oúna óra]

Moments de la journée – *Momentos del día*

jour	*día*	[día]
nuit	*noche*	[nótche]
matin	*mañana*	[magnána]
après-midi	*después del mediodía*	[despwés del médio día]
soir	*tarde*	[tárde]
aujourd'hui	*hoy*	[ói]
ce matin	*esta mañana*	[ésta magnana]
cet après-midi	*esta tarde*	[ésta tárde]

ce soir	*esta noche*	[ésta nótche]
demain	*mañana*	[magnána]
demain matin	*mañana por la mañana*	[magnána por la magnána]
demain après-midi	*mañana por la tarde*	[magnána por la tárde]
demain soir	*mañana por la noche*	[magnána por la nótche]
après-demain	*pasado mañana*	[pasádo magnána]
hier	*ayer*	[ayér]
avant-hier	*anteayer*	[ánteayér]
semaine	*semana*	[semána]
la semaine prochaine	*la semana próxima*	[la semánapróxima]
la semaine dernière	*la semana pasada*	[la semána pasáda]
lundi prochain	*el lunes próximo*	[loúnes próximo]

Jours de la semaine – *Días de la semana*

dimanche	*domingo*	[domíngo]
lundi	*lunes*	[loúnes]
mardi	*martes*	[mártes]
mercredi	*miércoles*	[myérkoles]
jeudi	*jueves*	[**h**wébes]
vendredi	*viernes*	[byérnes]
samedi	*sábado*	[sábado]

Renseignements généraux

Mois – *Meses*

janvier	*enero*	[enéro]
février	*febrero*	[febréro]
mars	*marzo*	[márso]
avril	*abril*	[abríl]
mai	*mayo*	[máyo]
juin	*junio*	[**h**oúnyo]
juillet	*julio*	[**h**oúlyo]
août	*agosto*	[agósto]
septembre	*septiembre*	[septyémbre]
octobre	*octubre*	[oktoúbre]
novembre	*noviembre*	[novyémbre]
décembre	*diciembre*	[disyémbre]
le 1er juin	*el primero de junio*	[el prímero de **h**oúnyo]
le 10 juin	*el diez de junio*	[el dyés de **h**oúnyo]
le 17 juin	*el diecisiete de junio*	[el dyesisyéte de **h**oúnyo]
le 31 juillet	*el treinta y uno de julio*	[el tréynta y oúno de **h**oúlyo]
mois	*mes*	[més]
le mois prochain	*el mes próximo*	[el més próximo]
le mois dernier	*el mes pasado*	[el més pasádo]
année	*año*	[ágno]
l'année prochaine (l'an prochain)	*el próximo año*	[el próximo ágno]

Renseignements généraux

52

l'année passée   *el año pasado*   [el ágno pasádo]
(l'an dernier)

À partir de quelle heure peut-on prendre le petit déjeuner?
¿A partir de qué hora se puede desayunar?
[a partír de ke óra se pwéde desayunár]

Jusqu'à quelle heure?
¿Hasta qué hora?
[ásta ke óra]

À quelle heure la chambre sera-t-elle prête?
¿A qué hora estará lista la habitación?
[a ke óra estará lísta la:bitasión]

À quelle heure doit-on quitter la chambre?
¿A qué hora se debe dejar la habitación?
[a ke óra se débe de**h**ár la:bitasión]

Quel est le décalage horaire entre... et ...?
¿Cuál es la diferencia de horario entre... y ...?
[kwál es la diferénsya de oráryo éntre... i...]

PAYS ET NATIONALITÉS -
PAISES Y NACIONALIDADES

Allemagne	*Alemania*	[alemánya]
Angleterre	*Inglaterra*	[inglaterra]
Argentine	*Argentina*	[arhentína]
Australie	*Australia*	[aoustrália]
Autriche	*Austria*	[áoustria]
Belgique	*Bélgica*	[bélhica]
Brésil	*Brasil*	[brasíl]
Canada	*Canadá*	[canadá]
Chili	*Chile*	[tchíle]
Écosse	*Escocia*	[eskócya]
Espagne	*España*	[espágna]
États-Unis	*Estados-Unidos*	[estádos-ounídos]
France	*Francia*	[fráncya]
Grande-Bretagne	*Gran-Bretaña*	[grán-bretágna]
Grèce	*Grecia*	[grésya]
Irlande	*Irlanda*	[irlánda]
Italie	*Italia*	[itálya]
Mexique	*México*	[méhiko]
Pays-Bas	*Holanda*	[holánda]
Portugal	*Portugal*	[portougál]
Québec	*Quebec*	[kebéc]
Russie	*Rusia*	[roúsya]
Suisse	*Suiza*	[souísa]

Renseignements généraux

Je suis...	Soy…	[sói]
Allemand/e	Alemán/a	[aleman/a]
Américain/e	Americano/a, Estadounidense	[amerikáno/a | estadounidénse]
Anglais/e	Inglés/a	[inglés/a]
Argentin/e	Argentino/a	[arhentíno/a]
Autralien/ne	Australiano/a	[aoustralíano/a]
Autrichien/ne	Austríaco/a	[aoustríako/a]
Belge	Belga	[bélga]
Britannique	Británico/a	[britániko/a]
Canadien/ne	Canadiense	[kanadyénse]
Chilien/ne	Chileno/a	[tchiléno/a]
Espagnol/e	Español/a	[espagnól/a]
Français/e	Francés/a	[fransés/a]
Grec/que	Griego/a	[griégo/a]
Hollandais/e	Holandés	[olandes/a]
Irlandais/e	Irlandés/a	[irlandés/a]
Italien/ne	Italiano/a	[italyáno/a]
Mexicain/e	Mejicano/a	[mehikáno/a]
Portugais/e	Paraguayo/a	[paragwáyo/a]
Québécois/e	Quebequense	[kebekénse]
Russe	Ruso/a	[roúso/a]
Suisse	Suizo/a	[swís/a]

Renseignements généraux

55

LES FORMALITÉS D'ENTRÉE -
FORMALIDADES DE ENTRADA

l'ambassade	*la embajada*	[la emba**h**áda]
carte de tourisme	*tarjeta de turismo*	[tar**h**éta de tourísmo]
le consulat	*el consulado*	[el konsouládo]
bagages	*equipajes*	[ekipá**h**es]
citoyen	*ciudadano*	[syoudadáno]
douane	*aduana*	[adwána]
immigration	*inmigración*	[inmigrasjón]
passeport	*pasaporte*	[pasapórte]
sac	*bolso*	[bólso]
valise	*valija, maleta*	[balí**h**a | maléta]
visa	*visa*	[bísa]

Votre passeport, s'il vous plaît.
Su pasaporte, por favor.
[sou pasapórte \| por fabór]

Combien de temps allez-vous séjourner au pays?
¿Cuánto tiempo estará en el país?
[kwánto tyémpo estará en el país]

trois jours	*tres días*	[trés días]
une semaine	*una semana*	[oúna semána]
un mois	*un mes*	[oun més]

Avez-vous un billet de retour?
¿Tiene usted un billete de vuelta?
[tyéne ousté oun biyéte de bwelta]

Quelle sera votre adresse dans le pays?
¿Cuál será su dirección en el país?
[kouál será sou direksión en el país]

Voyagez-vous avec des enfants?
¿Viaja usted con niños?
[bjáha ousté kon nígnos]

Voici le consentement de sa mère (de son père).
He aquí el permiso de su madre (de su padre).
[e akí el permíso de sou mádre | de sou pádre]

Je ne suis qu'en transit.
Sólo estoy de pasada.
[sólo estói de pasada]

Je suis en voyage d'affaires.
Estoy en viaje de negocios.
[estói en byáhe de negosyos]

Je suis en voyage de tourisme.
Estoy de vacaciones.
[estói de bakasyónes]

Pouvez-vous ouvrir votre sac, s'il vous plaît?
¿Puede usted abrir su bolso, por favor?
[pwéde ousté abrír sou bólso | por fabór]

Je n'ai rien à déclarer.
Yo no tengo nada que declarar.
[yo no téngo náda ke deklarár]

L'AÉROPORT - *EL AEROPUERTO*

Transports – *Transportes*

autobus	*autobús*	[aoutoboús]
avion	*avión*	[abyón]
bateau	*barco*	[bárko]
taxi	*taxi*	[táksi]
train	*tren*	[trén]
voiture	*automóvil, auto, coche*	[aoutomóvil | áouto | kótche]
voiture de location	*automóvil, auto, coche de alquiler*	[aoutomóvil | áouto | kótche de alkilér]

Renseignements – *Informaciónes*

office de tourisme	*oficina de turismo*	[ofisína de tourísmo]
renseignements touristiques	*informaciones turísticas*	[imformasyónes tourístikas]

J'ai perdu une valise.
He perdido una maleta.
[e perdído oúna maléta]

J'ai perdu mes bagages.
He perdido mi equipaje.
[e perdído mi ekipáhe]

Je suis arrivé sur le vol n°... de...
Llegué en el vuelo no... de...
[yegué:nel bwélo noumero... de...]

Je n'ai pas encore eu mes bagages.
Todavía no he recibido mi equipaje.
[todabía no e resibído mi ekipáhe]

Y a-t-il un bus qui se rend au centre-ville?
¿Hay un autobús que va al centro de la ciudad?
[ái un aoutoboús ke bá:l séntro de la syoudá]

Où le prend-on?
¿Dónde se toma?
[dónde se tóma]

59

Quel est le prix du billet?

¿Cuánto vale el billete?

[kwánto bále:l biyéte]

Est-ce que ce bus va à...?

¿Ese bus va a…?

[ése boús ba:]

Combien de temps faut-il pour se rendre à l'aéroport?

¿Cuánto tiempo se necesita para ir al aeropuerto?

[kwánto tyémpo se nesesíta pára ir al aeropwérto]

Combien de temps faut-il pour se rendre au centre-ville?

¿Cuánto tiempo se necesita para ir al centro de la cudad?

[kwánto tyémpo se nesesíta pára ir al séntro de la syoudá]

Combien faut-il payer?

¿Cuánto cuesta?

[kwánto kwésta]

Où prend-on le taxi?

¿Dónde se toma el taxi?

[dónde se tóma:l táksi]

Combien coûte le trajet pour...?

¿Cuánto cuesta el trayecto para ir a…

[kwánto kwésta el trayékto pára ir a...]

Où peut-on louer une voiture?
¿Dónde se puede alquilar un auto?
[dónde se pwéde alkilár un aoúto]

Est-ce qu'on peut réserver une chambre d'hôtel depuis l'aéroport?
¿Se puede reservar una habitación de hotel desde el aropuerto?
[se pwéde reserbár una:bitasyón de otél désde:l aeropwérto]

Y a-t-il un hôtel à l'aéroport?
¿Hay un hotel en el aeropuerto?
[ái oun otél en el aeropwérto]

Où peut-on changer de l'argent?
¿Dónde se puede cambiar dinero?
[dónde se pwéde kambyár dinéro]

Où sont les bureaux de...?
¿Dónde se encuentran las oficinas de…?
[dónde se:nkwéntran las ofisínas de…]

LES TRANSPORTS - *LOS TRANSPORTES*

Le transport en commun – *El transporte en común*

autobus	bus, autobús	[boús | aoutoboús]
car	autocar	[aoutokár]
métro	metro	[métro]

train	tren	[trén]
air conditionné	aire acondicionado	[áyre akondisyonádo]
aller-retour	ida y vuelta	[ída i bwélta]
billet	billete, tíquet	[biyéte | tíket]
gare	estación (de trenes, de bus)	[estasyón de trénes | de boús]
place numérotée	asiento numerado	[asyénto noumerádo]
quai	andén, muelle	[andén | mwéye]
siège réservé	asiento reservado	[asyénto reserbádo]
terminal routier	terminal, estación	[terminál | estasyón]
vidéo	video	[bidéo]
wagon-restaurant	vagón- restaurante	[bagón-restauuránte]

Où peut-on acheter les billets?

¿Dónde se puede comprar los billetes (tíquetes)?

[dónde se pwéde komprár los biyétes \| tíketes]

Quel est le tarif pour…?

¿Cuánto cuesta el billete para…?

[kwánto kwésta el biyéte pára…]

Quel est l'horaire pour…?

¿Cuál es el horario para…?

[kwál es el orário para…]

Y a-t-il un tarif pour enfants?
¿Hay un precio para niños?
[ái un présyo pára nígnos]

À quelle heure part le train pour...?
¿A qué hora sale el tren para...?
[a ke óra sále:l trén para...]

À quelle heure arrive le bus de...?
¿A qué hora llega el bus de...?
[a ke óra yéga el boús de...]

Est-ce que le café est servi à bord?
¿Se sirve café abordo?
[se sírbe kafé abordo]

Un repas léger est-il servi à bord?
¿Se sirve una comida ligera abordo?
[se sírbe oúna komída lihéra abordo]

Le repas est-il inclus dans le prix du billet?
¿La comida está incluida en el precio del billete?
[la komída está inklwída en el présyo del biyéte]

De quel quai part le train pour...?
¿De cuál andén sale el tren para...?
[de kwál andén sále el trén para...]

63

Où met-on les bagages?

¿Dónde ponemos el equipaje?

[dónde ponémos el ekipáhe]

Excusez-moi, vous occupez ma place.

¿Discúlpeme, usted ocupa mi asiento.

[diskúlpeme ousté okoúpa mi asyénto]

À quelle gare sommes-nous?

¿En qué estación estamos?

[en ké estasyón estámos]

Est-ce que le train s'arrête à...?

¿El tren para en...?

[el trén se pára:n]

Métro – *Metro*

Quelle est la station la plus proche?

¿Cuál es la estación más cercana?

[kwál es la estasyón más serkána]

Combien coûte un billet?

¿Cuánto cuesta un billete?

[kwánto kwésta un biyéte]

Y a-t-il des carnets de billets?

¿Hay talonarios de billetes?

[ái talonáryos de biyétes]

Y a-t-il des cartes pour la journée? pour la semaine?
¿Hay tarjetas por un día? una semana?
[ái tarhétas por oun día | oúna semána]

Quelle direction faut-il prendre pour aller à...?
¿Qué dirección hay que tomar para ir a...?
[ke direksyón ái que tomár pára ir a...]

Est-ce qu'il faut prendre une correspondance?
¿Hay que hacer una correspondencia (un cambio de...)?
[ái ke asér oúna korespondénsya | oun kambyo de ...]

Avez-vous un plan du métro?
¿Tiene usted un plano del metro?
[Tyéne ousté oun pláno del métro]

À quelle heure ferme le métro?
¿A qué hora cierra el metro?
[a ke óra syéra el métro]

La conduite automobile – *El automóvil*

ici	aquí	[akí]
là	ahí, allí	[aí	ayí]
avancer	avanzar	[abansár]
reculer	retroceder	[retrosedér]
tout droit	derecho, derechito	[derétcho	derétchito]
à gauche	a la izquierda	[a la iskyérda]
à droite	a la derecha	[a la derétcha]

feux de circulation	*señales de tránsito*	[segnáles de tránsito]
feu rouge	*semáforo*	[semáforo]
feu vert	*luz verde*	[loús bérde]
feu orangée	*luz anaranjada*	[loús anaran**h**áda]
aux feux de circulation	*a las señales de tránsito*	[a las segnáles de tránsito]
carrefour	*esquina*	[eskína]
carrefour giratoire	*rotonda*	[rotónda]
sens unique	*sentido único, una sola dirección*	[sentído oúniko | oúna sóla direksyón]
sens interdit	*sentido prohibido, dirección prohibida*	[sentído proibído | direksyón proibída]
faites trois kilomètres	*haga tres kilómetros*	[ága trés kilómetros]
la deuxième à droite	*la segunda a la derecha*	[la segúnda a la derétcha]
la première à gauche	*la primera a la izquierda*	[la priméra a la iskyérda]
l'autoroute à péage	*autopista de peaje*	[aoutopísta de peá**h**e]
route non revêtue	*carretera sin asfaltar*	[ka**r**etéra sin asfaltár]
rue piétonne	*calle peatonal*	[káye peatonál]

Location – *Alquiler*

Je voudrais louer une voiture.
Quisiera alquilar un auto.
[kisyéra alkilár oun áouto]

En avez-vous à transmission automatique?
¿Tiene uno de transmisión automática?
[tyéne oúno de transmisyón aoutomátika]

En avez-vous à embrayage manuel?
¿Tiene uno de embriague manual?
[tyéne oúno de embriágue manouál]

Quel est le tarif pour une journée?
¿Cuánto cuesta por un día?
[kwánto kwésta por oun día]

Quel est le tarif pour une semaine?
¿Cuánto cuesta por una semana?
[kwánto kwésta por oúna semána]

Est-ce que le kilométrage est inclus?
¿El kilometraje está incluido?
[el kilometráhe está inklwído]

Combien coûte l'assurance?
¿Cuánto cuesta el seguro?
[kwánto kwésta el segoúro]

Renseignements généraux

Y a-t-il une franchise collision?
¿Hay una penalidad por accidente, por choque?
[ái oúna penalidad por accidente | por tchóke]

J'ai une réservation.
Tengo una reservación.
[téngo oúna reserbasyón]

J'ai un tarif confirmé par le siège social.
Tengo un precio confirmado por la compañia.
[téngo oun présyo konfirmádo por la kompagnía]

Mécanique – *Mecánica*

antenne	*antena*	[anténa]
antigel	*anticongelante*	[antikonhelánte]
avertisseur	*avisador, bocina*	[abisadór	bosína]
boîte à gants	*guantera*	[wantéra]
cassette	*casete*	[kaséte]
chauffage	*calefacción*	[kalefaksyón]
clé	*llave*	[yábe]
clignotants	*intermitente*	[intermiténte]
climatisation	*climatización*	[klimatisasyón]
coffre	*maletero, guarda maletas*	[maletéro	gouárda malétas]
démarreur	*arranque*	[aranke]
diesel	*diesel*	[dyésel]
eau	*agua*	[ágwa]

embrayage	*embriague*	[embriágue]
essence	*gasolina*	[gasolína]
essence sans plomb	*gasolina sin plomo*	[gasolína sin plómo]
essuie-glace	*limpiaparabrisas*	[límpyaparabrisas]
filtre à huile	*filtro de aceite*	[fíltro de aséyte]
frein à main	*freno de mano*	[fréno de máno]
freins	*frenos*	[frénos]
fusibles	*fusibles*	[fousíbles]
glaces électriques	*cristales eléctricos*	[kristáles eléktrikos]
huile	*aceite*	[aséyte]
levier de vitesse	*palanca de velocidad*	[palánka de velósida]
pare-brise	*parabrisa*	[parabrísa]
pare-chocs	*parachoques*	[paratchóke]
pédale	*pedal*	[pedál]
phare	*faro, luz*	[fáro | loús]
pneu	*neumático, llanta*	[neoumátiko | yánta]
portière avant (arrière)	*puerta, de delante (de atrás)*	[pwérta | de delánte | de atrás]
radiateur	*radiador*	[radyadór]
radio	*el radio*	[el rádyo]
rétroviseur	*retrovisor*	[retrobisór]
serrure	*cerradura*	[seradúra]
siège	*asiento*	[asyénto]
témoin lumineux	*piloto*	[pilóto]
toit ouvrant	*techo abrible*	[tétcho abríble]

Renseignements généraux

| | **ventilateur** | *ventilador* | [bentiladór] |
| | **volant** | *volante* | [bolánte] |

aceite	**huile**	[aséyte]
agua	**eau**	[ágwa]
antena	**antenne**	[anténa]
anticongelante	**antigel**	[antikonhelánte]
arranque	**démarreur**	[aŕanke]
asiento	**siège**	[asyénto]
avisador	**avertisseur**	[abisadór]
bocina	**avertisseur**	[bosína]
calefacción	**chauffage**	[kalefaksyón]
casete	**cassette**	[kaséte]
cerradura	**serrure**	[seŕadúra]
climatización	**climatisation**	[klimatisasyón]
cristales eléctricos	**glaces électriques**	[kristáles eléktrikos]
diesel	**diesel**	[dyésel]
el radio	**radio**	[el rádyo]
embriague	**embrayage**	[embriágue]
faro	**phare**	[fáro]
filtro de aceite	**filtre à huile**	[fíltro de aséyte]
freno de mano	**frein à main**	[fréno de máno]
frenos	**freins**	[frénos]
fusibles	**fusibles**	[fousíbles]

guarda maletas	**coffre**	[gouárda malétas]
gasolina	**essence**	[gasolína]
gasolina sin plomo	**essence sans plomb**	[gasolína sin plómo]
goma	**pneu**	[góma]
guantera	**boîte à gants**	[wantéra]
intermitente	**clignotants**	[intermiténte]
limpiaparabrisas	**essuie-glace**	[límpyaparabrisas]
llanta	**pneu**	[yánta]
llave	**clé**	[yábe]
luz	**phare**	[loús]
maletero	**coffre**	[maletéro]
neumático	**pneu**	[neoumátiko]
palanca de velocidad	**levier de vitesse**	[palánka de velósida]
parabrisa	**pare-brise**	[parabrísa]
parachoques	**pare-chocs**	[paratchóke]
pedal	**pédale**	[pedál]
piloto	**témoin lumineux**	[pilóto]
portezuela de delante (de atrás)	**portière avant (arrière)**	[porteswéla | de delánte | de atrás]
puerta	**portière**	[pwérta]
radiador	**radiateur**	[radyadór]
retrovisor	**rétroviseur**	[retrobisór]
techo abrible	**toit ouvrant**	[tétcho abrible]

Renseignements généraux

timón	**volant**	[timón]
ventilador	**ventilateur**	[bentiladór]
volante	**volant**	[bolánte]

Faire le plein – *Echar combustible*

Le plein, s'il vous plaît.
Llene el tanque (depósito), por favor.
[yéne:l tánke | depósito | por fabór]

Mettez-en pour 50 pesos.
Eche por 50 pesos.
[étche por cinkwenta pésos]

Vérifier la pression des pneus.
Verificar la presión de los neumáticos.
[berifikár la presyón de los neoumátikos]

SANTÉ -
SALUD

hôpital	*hospital*	[ospitál]
dentiste	*dentista*	[dentísta]
médecin	*médico*	[médiko]
pharmacie	*farmacia*	[farmásya]

J'ai mal...	*Tengo un dolor...*	[téngo oun dolór]
à l'abdomen	*en el abdomen*	[en el abdómen]
aux dents	*de diente*	[de dyénte]
au dos	*de espalda*	[de:spálda]
à la gorge	*de garganta*	[de gargánta]
au pied	*en el pie*	[en:l pyé]
à la tête	*de cabeza*	[de kabésa]
au ventre	*de barriga*	[de barríga]

Je suis constipé.	*Estoy constipado.*	[estói konstipádo]
J'ai la diarrhée.	*Tengo diarrea.*	[téngo dyárea]
Je fais de la fièvre.	*Tengo fiebre.*	[téngo fyébre]
Mon enfant fait de la fièvre.	*Mi hijo tiene fiebre.*	[mi:iho tyéne fyébre]
J'ai la grippe.	*Tengo gripe.*	[téngo grípe]

Je voudrais renouveler cette ordonnance.
Quisiera renovar esta prescripción.
[kisyéra renobár ésta preskripsyón]

Avez-vous des médicaments contre le mal de tête?
¿Tiene medicamentos para el dolor de cabeza?
[tyéne medikaméntos para el dolór de kabésa]

Avez-vous des médicaments contre la grippe?
¿Tiene medicamentos para la gripe?
[tyéne medikaméntos para la grípe]

Je voudrais...	*Desearía...*	[desearía]
des préservatifs	*preservativos*	[preserbatíbos]
de la crème solaire	*una crema para el sol*	[oúna kréma pára:l sól]
un insectifuge	*un antiinsectos*	[oun anti:nséktos]
un collyre	*un colirio*	[oun kolíryo]
...du baume pour les piqûres d'insecte	*...una pomada para las picaduras de insectos*	[pomáda pára las pikádoúras de inséktos]
...une solution nettoyante (mouillante) pour verres de contact souples (rigides)	*...una solución para limpiar (mojar) los lentes de contacto suaves (rígidos)*	[oúna solousyón pára limpyár | mohár | los léntes de kontákto swábes | rígidos]

URGENCES -
URGENCIAS

Au feu!	*¡Fuego!*	[fwégo]
Au secours!	*¡Auxilio!*	[aousílyo]
Au voleur!	*¡Al ladrón!*	[al ladrón]
On m'a agressé.	*Me agredieron.*	[me agredyéron]
On m'a volé.	*Me robaron.*	[me robáron]

Pouvez-vous appeler la police? l'ambulance?
¿Puede usted llamar a la policia? ¿la ambulancia?
[pwéde ousté yamar a la polisyia | l:anbulánsya?]

Où est l'hôpital?
¿Dondé está el hospital?
[dónde está el ospitál]

Pouvez-vous me conduire à l'hôpital?
¿Puede llevarme al hospital?
[pwéde yebármé al ospitál]

On a volé nos bagages dans la voiture.
Se robaron nuestro equipaje del auto.
[se robáron nwéstro equipáhe del áouto]

On a volé mon portefeuille.
Me robaron la cartera.
[me robáron la kartéra]

75

Ils avaient une arme.
Tenían un arma.
[tenían oun árma]

Ils avaient un couteau.
Tenían un cuchillo.
[tenían un koutchíyo]

L'ARGENT - EL DINERO

banque	*banco*	[bánko]
bureau de change	*oficina de cambio*	[ofisína de kambyo]

Quel est le taux de change pour le dollar canadien?
¿Cuál es el cambio para el dólar canadiense?
[kwál es el kámbyo pára el dólar kanadyénse]

dollar américain	*dólar americano*	[dólar amerikáno]
euro	*euro*	[eouro]
franc suisse	*franco suizo*	[fránko swíso]

Je voudrais changer des dollars américains (canadiens).
Quisiera cambiar dólares americanos (canadienses).
[kisyéra kambyár dólares amerikános | kanadyénses]

Je voudrais changer des chèques de voyage.
Quisiera cambiar cheques de viaje.
[kisyéra kambyár tchékes de byáhe]

Est-ce que vous acceptez les cartes de crédit?
¿Acepta usted tarjetas de crédito?
[asépta ousté tarhétas de krédito]

Je voudrais obtenir une avance de fonds sur ma carte de crédit.
Quisiera un avance de fondos de mi tarjeta de crédito.
[kisyéra oun abánse de fóndos de mi tarhéta de krédito]

Où peut-on trouver un guichet automatique (un distributeur de billets)?
¿Dónde se puede encontrar un cajero automático (una distribuidora de dinero)?
[dónde se pwéde:nkontrár oún kahéro aoutomátiko | oúna distribwidóra de dinéro]

POSTE ET TÉLÉPHONE - *CERREO Y TÉLÉFONO*

courrier rapide	correo rápido	[koréo rápido]
par avion	por avión	[por abyón]
poids	peso	[péso]
timbres	sellos, estampillas	[séyos	estanpiyas]

Où se trouve le bureau de poste?
¿Dónde se encuentra el correo?
[dónde se:nkwéntra el koréo]

Renseignements généraux

Combien coûte l'affranchissement d'une carte postale pour le Canada?

¿Cuánto cuesta un sello para una tarjeta a Canadá?

[kwánto kwésta oun séyo para oúna tarhéta a kanadá]

Combien coûte l'affranchissement d'une lettre pour le Canada?

¿Cuánto cuesta un sello para una carta a Canadá?

[kwánto kwésta oun séyo para oúna kárta a kanadá]

Où se trouve le bureau des téléphones?

¿Dónde está la oficina de teléfonos?

[dónde está la ofisína de teléfonos]

Où se trouve la cabine téléphonique la plus près?

¿Dónde está la cabina de teléfono más cerca?

[dónde está la kabina de teléfono mas syerka]

Que faut-il faire pour placer un appel local?

¿Cómo se puede hacer una llamada local?

[kómo se pwéde asér oúna yamáda lokál]

Que faut-il faire pour appeler au Canada?

¿Cómo se puede hacer una llamada a Canadá?

[kómo se pwéde asér oúna yamáda a kanadá]

Je voudrais acheter une carte de téléphone.

Quisiera comprar una tarjeta de teléfono.

[kisyéra komprár oúna tarhéta de teléfono]

J'aimerais avoir de la monnaie pour téléphoner.
Desearía tener menudo (cambio) para hacer una llamada.
[desearía tenér menoúdo | kambyo | para asér úna yamáda]

Comment les appels sont-ils facturés à l'hôtel?
¿Cómo son facturadas las llamadas en el hotel?
[kómo son faktourádas las yamádas en el otél]

J'appelle Canada Direct, c'est un appel sans frais.
Llamo a «Canada Direct», es una llamada sin costo.
[yámo a «kanadá dirék» | es oúna yamáda sin kósto]

Je voudrais envoyer un fax.
Quisiera enviar un fax.
[kisyéra embyár oun fáks]

Avez-vous reçu un fax pour moi?
¿Recibió un fax para mí?
[resibyó un fáks pára mí]

ÉLECTRICITÉ -
ELECTRICIDAD

Où puis-je brancher mon rasoir?
¿Dónde puedo conectar mi máquina de afeitar?
[dónde pwédo konektár mi mákina de aféytar]

L'alimentation est-elle de 220 volts?
¿La corriente es de 220 voltios?
[la ko**r**yénte es de dosyentos béinte voltios]

La lampe ne fonctionne pas.
La lámpara no funciona.
[la lámpara no founsyóna]

Où puis-je trouver des piles pour mon réveil-matin?
¿Dónde puedo comprar pilas para mi despertador?
[dónde pwédo konprár pílas pára mi despertadór]

Est-ce que je peux brancher mon ordinateur ici?
¿Puedo conectar mi ordenador aquí?
[pwédo konektár mi ordenadór akí]

Y a-t-il une prise téléphonique pour mon ordinateur?
¿Hay una toma telefónica para mi ordenador?
[**ái** oúna tóma telefónika pára mi ordenadór]

LA MÉTÉO -
EL TIEMPO

la pluie	*la lluvia*	[la yoúbya]
le soleil	*el sol*	[el sól]
le vent	*el viento*	[el biento]
la neige	*la nieve*	[la nyébe]
Il fait chaud.	*Hace calor.*	[áse kalór]
Il fait froid.	*Hace frío.*	[áse frío]
ensoleillé	*soleado*	[soléado]
nuageux	*nublado*	[noubládo]
pluvieux	*lluvioso*	[youbyóso]
Est-ce qu'il pleut?	*¿Llueve?*	[ywébe]
Va-t-il pleuvoir?	*¿Va a llover?*	[ba:yobér]
Prévoit-on de la pluie?	*¿Hay probabilidad de lluvia?*	[ái probabilidá de yoúbya]

la lluvia	**la pluie**	[la yoúbya]
el sol	**le soleil**	[el sól]
el viento	**le vent**	[el biento]
la nieve	**la neige**	[la nyébe]
Hace calor.	**Il fait chaud.**	[áse kalór]
Hace frío.	**Il fait froid.**	[áse frío]
soleado	**ensoleillé**	[soléado]
nublado	**nuageux**	[noubládo]

Renseignements généraux

lluvioso	**pluvieux**	[youbyóso]
¿Llueve?	**Est-ce qu'il pleut?**	[ywébe]
¿Va a llover?	**Va-t-il pleuvoir?**	[ba:yobér]
¿Hay probabilidad de lluvia?	**Prévoit-on de la pluie?**	[ái probabilidá de youbya]

Quel temps fera-t-il aujourd'hui?
¿Qué tiempo hará hoy?
[ke tyémpo ará ói]

Comme il fait beau!
¡Qué buen tiempo hace!
[ke bwén tyémpo áse]

Comme il fait mauvais!
¡Qué mal tiempo!
[ke mal tyémpo]

FÊTES ET FESTIVALS - *FIESTAS Y FESTIVALES*

la fête des Mères	*el día de las Madres*	[el día de las mádres]
la Fête nationale	*la fiesta nacional*	[la fyésta nasyonál]
la fête des Pères	*el día de los Padres*	[el día de los pádres]
la fête des Travailleurs	*el día de los trabajadoresel*	[el día de los trabahadóres]
le jour de l'An	*Año Nuevo*	[ágno nwébo]
le jour de Noël	*día de Navidad*	[día de navidá]
le jour de Pâques	*el día de Pascua*	[el día de páskwa]
le jour des Rois	*día de Reyes*	[día de réyes]
le Mardi gras	*Martes de carnaval*	[martes de karnabál]
le mercredi des Cendres	*miércoles de ceniza*	[myérkoles de senísa]
la Saint-Jean-Baptiste	*el día de San Juan Bautista*	[el día de san **h**wán baoutísta]
la Semaine sainte	*semana santa*	[semána sánta]
le Vendredi saint	*viernes santo*	[vyérnes sánto]

◆◆◆

Año Nuevo	**le jour de l'An**	[ágno nwébo]
el día de las Madres	**la fête des Mères**	[el día de las mádres]
día de Navidad	**le jour de Noël**	[día de navidá]
el día de los Padres	**la fête des Pères**	[el día de los pádres]
el día de Pascua	**le jour de Pâques**	[el día de páskwa]
el día de Reyes	**le jour des Rois**	[día de réyes]

Renseignements généraux

el día de San Juan Bautista	**la Saint-Jean-Baptiste**	[el día de san **h**wán baoutísta]
el día de los trabajadoresel	**la fête des Travailleurs**	[el día de los trabahadóres]
la fiesta nacional	**la Fête nationale**	[la fyésta nasyonál]
Martes de carnaval	**le Mardi gras**	[martes de karnabál]
miércoles de ceniza	**le mercredi des Cendres**	[myérkoles de senísa]
semana santa	**la Semaine sainte**	[semána sánta]
viernes santo	**le Vendredi saint**	[vyérnes sánto]

ATTRAITS TOURISTIQUES

ATTRAITS TOURISTIQUES - ATRACCIONES TURÍSTICAS

l'aquarium	*el acuario*	[el akouáryo]
la basilique	*la basílica*	[la basílika]
la cascade	*la cascada*	[la kaskáda]
la cathédrale	*la catedral*	[la katedrál]
le centre commercial	*el centro comercial*	[el séntro komersyál]
le centre historique	*el centro histórico*	[el séntro istóriko]
la chapelle	*la capilla*	[la kapíya]
le château	*el castillo*	[el castíyo]
la chute	*caída, salto, catarata de agua*	[kaída, salto, katarata de ágwa]
le couvent	*el convento*	[el convénto]
l'édifice	*el edificio*	[el edifísyo]
l'église	*la iglesia*	[la iglésya]
le funiculaire	*el funicular*	[el founikoulár]
la foire	*la feria*	[la férya]
la forteresse	*la fortaleza*	[la fortalésa]
l'hôtel de ville	*el ayuntamiento*	[ahountamyéento]
la fontaine	*la fuente*	[la fwénte]
le fort	*el fuerte*	[el fwérte]
le jardin	*el jardín*	[el **h**ardín]
la maison	*la casa*	[la kása]
la maison de campagne	*la quinta*	[la kínta]

le marché	el mercado	[el merkádo]
la marina	la marina	[la marína]
la mer	el mar, la mar	[el már | la már]
le monastère	el monasterio	[el monastéryo]
le monument	el monumento	[el monouménto]
la muraille	la muralla	[la mouráiya]
le musée	el museo	[el mouséo]
l'oratoire	el oratorio	[el oratório]
le palais	el palacio	[el palásyo]
le palais épiscopal	el palacio episcopal	[el palásyo epyskopál]
le palais de justice	el palacio de justicia	[el palásyo de **h**oustísya]
le parc	el parque	[el párke]
le parc d'attractions	el parque de atracciones	[el párke de atraksyónes]
le phare	el faro	[el fáro]
la piscine	la piscina	[la pisína]
la place centrale	la plaza central	[la plása sentrál]
la plage	la playa	[la pláya]
le pont	el puente	[el pwénte]
le port	el puerto	[el pwérto]
la promenade	la caminata, el paseo	[la kamináta | el paséo]
les ruines	las ruinas	[las rwínas]
la statue	la estatua	[la estátoua]
le téléférique	el teleférico	[el telefériko]
le temple	el templo	[el témplo]
le théâtre	el teatro	[el teátro]

le tunnel	el túnel	[el toúnel]
le zoo	el zoológico	[el so:lóhiko]

◆◆◆

el acuario	**l'aquarium**	[el akouáryo]
la basílica	**la basilique**	[la basílika]
el ayuntamiento	**l'hôtel de ville**	[ahountamyéento]
la caída	**la chute**	[la kaída]
la caminata	**la promenade**	[la kamináta]
la capilla	**la chapelle**	[la kapíya]
la casa	**la maison**	[la kása]
el castillo	**le château**	[el castíyo]
la catarata	**la chute**	[la katarata]
el centro comercial	**le centre commercial**	[el séntro komersyál]
el centro histórico	**le centre historique**	[el séntro istóriko]
el convento	**le couvent**	[el convénto]
el edificio	**l'édifice**	[el edifísyo]
la estatua	**la statue**	[la estátoua]
el faro	**le phare**	[el fáro]
la feria	**la foire**	[la férya]
la fortaleza	**la forteresse**	[la fortalésa]
la fuente	**la fontaine**	[la fwénte]
el fuerte	**le fort**	[el fwérte]

el funicular	**le funiculaire**	[el founikoulár]
la iglesia	**l'église**	[la iglésya]
el jardín	**le jardin**	[el **h**ardín]
la marina	**la marina**	[la marína]
el mar, la mar	**la mer**	[el már | la már]
el mercado	**le marché**	[el merkádo]
el monasterio	**le monastère**	[el monastéryo]
el monumento	**le monument**	[el monouménto]
la muralla	**la muraille**	[la mouráiya]
el museo	**le musée**	[el mouséo]
el oratorio	**l'oratoire**	[el oratório]
el palacio	**le palais**	[el palásyo]
el palacio de justicia	**le palais de justice**	[el palásyo de **h**oustísya]
el palacio episcopal	**le palais épiscopal**	[el palásyo epyskopál]
el parque	**le parc**	[el párke]
el parque de atracciones	**le parc d'attractions**	[el párke de atraksyónes]
el paseo	**la promenade**	[el paséo]
la piscina	**la piscine**	[la pisína]
la playa	**la plage**	[la pláya]
la plaza central	**la place centrale**	[la plása sentrál]
el puente	**le pont**	[el pwénte]
el puerto	**le port**	[el pwérto]
la quinta	**la maison de campagne**	[la kínta]
las ruinas	**les ruines**	[las rwínas]

el salto de agua	**la chute**	[el sálto de ágwa]
el teatro	**le théâtre**	[el teátro]
el teleférico	**le téléférique**	[el telefériko]
el templo	**le temple**	[el témplo]
el zoológico	**le zoo**	[el so:lóhiko]

Au musée –
En el museo

anthropologie	*antropología*	[antropolohía]
antiquités	*antigüedades*	[antigwedádes]
archéologie	*arqueología*	[arkeología]
architecture	*arquitectura*	[arkitektoúra]
art africain	*arte africano*	[árte afrikáno]
art asiatique	*arte asiático*	[árte asyátiko]
art baroque	*arte barroco*	[árte ba**r**óko]
art contemporain	*arte contemporáneo*	[árte kontemporáneo]
Art déco	*art decó*	[árte dekó]
art gothique	*arte gótico*	[árte gótyko]
art moderne	*arte moderno*	[árte modérno]
Art nouveau	*arte nuevo*	[árte nwébo]
art romain	*arte romano*	[árte románo]
art roman	*arte románico*	[árte rom/ányko]
arts décoratifs	*artes decorativas*	[ártes dekoratíbas]
arts mauresques	*artes moriscas*	[ártes morískas]
le classicisme	*el clasicismo*	[el klasisísmo]

Attraits touristiques

collection permanente	colección permanente	[koleksyón permanénte]
le cubisme	el cubismo	[el coubísmo]
exposition temporaire	exposición temporal	[eksposisyón temporál]
impressionnisme	impresionismo	[impresyonísmo]
mosquée	mezquita	[meskíta]
le néoclassicisme	el neoclasicismo	[el neoklasisísmo]
peintures	pinturas	[pintoúras]
la Renaissance	el renacimiento	[el renacimiénto]
les romantiques	los románticos	[los romántikos]
sciences naturelles	ciencias naturales	[syensyas natouráles]
sculptures	esculturas	[eskoultoúras]
synagogue	sinagoga	[sinagoga]
urbanisme	urbanismo	[ourbanísmo]
XIXe siècle	siglo diecinueve	[síglo dyesinwébe]
XXe siècle	siglo veinte	[síglo béynte]
XXIe siècle	siglo veintiuno	[síglo beytyúno]

◆ ◆ ◆

antigüedades	**antiquités**	[antigwedádes]
antropología	**anthropologie**	[antropolohía]
arqueología	**archéologie**	[arkeología]
arquitectura	**architecture**	[arkitektoúra]
art decó	**Art déco**	[árte dekó]

arte africano	**art africain**	[árte afrikáno]
arte asiático	**art asiatique**	[árte asyátiko]
arte barroco	**art baroque**	[árte baróko]
arte contemporáneo	**art contemporain**	[árte kontempuráneo]
arte gótico	**art gothique**	[árte gótyko]
arte moderno	**art moderne**	[árte modérno]
arte nuevo	**Art nouveau**	[árte nwébo]
arte románico	**art roman**	[árte romónyko]
arte romano	**art romain**	[árte románo]
artes decorativas	**arts décoratifs**	[ártes dekoratíbas]
artes moriscas	**arts mauresques**	[ártes moríscas]
ciencias naturales	**sciences naturelles**	[syensyas natouráles]
el clasicismo	**le classicisme**	[el klasisísmo]
colección permanente	**collection permanente**	[koleksyón permanénte]
el cubismo	**le cubisme**	[el coubísmo]
esculturas	**sculptures**	[eskoultoúras]
exposición temporal	**exposition temporaire**	[eksposisyón temporál]
impresionismo	**impressionnisme**	[impresyonísmo]
mezquita	**mosquée**	[meskíta]
el neoclasicismo	**le néoclassicisme**	[el neoklasisísmo]
pinturas	**peintures**	[pintoúras]
el renacimiento	**la Renaissance**	[el renacimiénto]
los románticos	**les romantiques**	[los romántikos]
siglo diecinueve	**XIXe siècle**	[síglo dyesinwébe]

siglo veinte	**XXᵉ siècle**	[síglo béynte]
siglo veintiuno	**XXIᵉ siècle**	[síglo beytyúno]
sinagoga	**synagogue**	[sinagoga]
urbanismo	**urbanisme**	[ourbanísmo]

Où se trouve le centre-ville?

¿Dónde se encuentra el centro de la ciudad?

[dónde se:nkwéntra el séntro de la syoudá]

Où se trouve la vieille ville?

¿Dónde se encuentra la ciudad vieja?

[dónde se:nkwéntra la syoudá byéha]

Peut-on marcher jusque-là?

¿Se puede caminar hasta ahí?

[se pwéde kamirár ásta aí]

Quel est le meilleur chemin pour se rendre à...?

¿Cuál es el mejor camino para llegar a...?

[kwál es el mehór kamíno par yégar a...]

Quelle est la meilleure façon de se rendre à...?

¿Cuál es la mejor manera para llegar a...?

[kwál es la mehór manéra pára yégar a...]

Combien de temps faut-il pour se rendre à...?

¿Cuánto tiempo se necesita para llegar a..?

[kwánto tyémpo se nesesíta para yégar a...]

Attraits touristiques

Où prend-on le bus pour le centre-ville?
¿Dónde se toma el bus para el centro de la ciudad?
[dónde se tóma el bús para el séntro de la syoudá]

Y a-t-il une station de métro près d'ici?
¿Hay una estación de metro cerca de aquí?
[ái oúna estasyón de métro sérka de akí]

Peut-on aller à... en métro (bus)?
¿Se puede ir a… en metro (bus)?
[se pwéde ir a... en métro (boús)]

Avez-vous un plan de la ville?
¿Tiene usted un plano de la ciudad?
[tyéne ousté oun pláno de la syoudad]

Je voudrais un plan avec index.
Quisiera un plano con índice.
[kisyéra oun pláno kon índise]

Combien coûte l'entrée?
¿Cuánto cuesta la entrada?
[kwánto kwésta la entráda]

Y a-t-il un tarif étudiant?
¿Hay un precio para estudiante?
[ái oún présyo pára estoudyántes]

Les enfants doivent-ils payer?
¿Los niños deben pagar?
[los nígnos dében pagár]

Quel est l'horaire du musée?
¿Cúal es el horario del museo?
[kwál es el orário del mouséo]

Avez-vous de la documentation sur le musée?
¿Tiene documentación sobre el museo?
[tyéne ousté dokoumentasyón sóbre el mouséo]

Est-il permis de prendre des photos?
¿Se permite tomar fotos?
[se permíte tomár fótos]

Où se trouve le vestiaire?
¿Dónde se encuentra el vestuario?
[dónde se enkwéntra el bestwáryo]

Y a-t-il un café?
¿Hay un café?
[ái oun kafé]

Où se trouve le tableau de...?
¿Dónde se encuentra el cuadro de...?
[dónde se:nkwéntra el kwádro de...]

À quelle heure ferme le musée?

¿A qué hora cierra el museo?

[a ke óra syéra el mouséo]

ACTIVITÉS DE PLEIN AIR -
ACTIVIDADES AL AIRE LIBRE

Où peut-on pratiquer...?
¿Dónde se puede practicar...?
[dónde se pwéde praktikár]

l'équitation	*la equitación*	[la ekitasyón]
l'escalade	*la escalada*	[la eskaláda]
le badminton	*el badminton*	[el badmintón]
le golf	*el golf*	[el gólf]
la moto	*la moto*	[la móto]
la motomarine	*la motonáutica*	[la motonáoutika]
la motoneige	*la motonieve*	[la motonyébe]
la natation	*la natación*	[la natasyón]
le parachutisme	*el paracaidismo*	[el parakaydísmo]
le parapente	*el parapente*	[parapénte]
la pêche	*la pesca*	[la péska]
la pêche sportive	*la pesca deportiva*	[la péska deportíba]
la planche à voile	*la plancha de vela, tabla de vela*	[la plántcha de béla | tábla de béla]
la plongée sous-marine	*la sumersión, el buceo*	[la soumersyón | el bouséo]
la plongée-tuba	*el submarinismo*	[el soumarinísmo]
le plongeon	*la zambullida*	[la sambouyída]
la randonnée pédestre	*la marcha*	[la mártcha]

le ski alpin	*el esquí de montaña*	[el eskí de montágna]
le surf	*la plancha de surf*	[plántcha de surf]
le tennis	*el tenis*	[el ténis]
le vélo	*la bicicleta*	[la bisikléta]
le vélo de montagne	*la bicicleta de montaña*	[la bisikléta de montágna]
le volley-ball	*el volley-ball*	[el boliból]
la voile	*la vela*	[la béla]

Matériel – *Indumentaria*

la balle	*la pelota*	[la pelóta]
le ballon	*el balón*	[el balón]
le bateau	*el barco*	[el bárko]
les bâtons	*los bates*	[los bátes]
les bâtons de golf	*los palos, bates (de golf)*	[los pálos | bátes de gólf]
la bicyclette	*la bicicleta*	[la bisikléta]
la bonbonne d'oxygène	*la bomba (de echar aire)*	[la bómba (de etchár áire)]
les bottines	*los botines*	[los botínes]
la cabine	*la cabina*	[la kabína]
la canne à pêche	*la caña de pescar*	[la kágna de peskár]
la chaise longue	*la silla larga*	[la síya lárga]
le filet	*la red*	[la réd]
le masque	*la máscara*	[la máskara]

Plein air

98

le matelas pneumatique	*la balsa*	[la bálsa]
les palmes	*las palmas*	[las pálmas]
le parasol	*la sombrilla*	[la sombríya]
la planche à voile	*la plancha de vela*	[la plántcha de béla]
la planche de surf	*la plancha de agua*	[la plántcha de ágwa]
la raquette	*la raqueta*	[la rakéta]
les skis	*los esquís*	[los eskí]
le voilier	*el velero*	[el beléro]

La mer – *El mar*

les courants	*las corrientes*	[las koryéntes]
les courants dangereux	*las corrientes peligrosas*	[las koryéntes peligrósas]
la marée basse	*la marea baja*	[la maréa báha]
la marée haute	*la marea alta*	[la maréa álta]
mer calme	*mar calmado*	[már kalmádo]
mer agitée	*mar agitado*	[már ahitádo]
le rocher	*el arrecife*	[el aresífe]
le sable	*la arena*	[la:réna]
le surveillant	*el vigilante*	[el bihilánte]

COMMODITÉS

HÉBERGEMENT -
ALOJAMIENTO

balcon	*balcón*	[balkón]
bar	*bar*	[bár]
bébé	*bebé*	[bebé]
boutiques	*tiendas*	[tyéndas]
bruit	*ruido, bulla*	[rwído | boúya]
bruyant	*ruidoso*	[rwidóso]
calme	*calmado*	[kalmádo]
chaise	*silla*	[síya]
chambre avec salle de bain	*habitación con baño*	[abitasyón kón bágno]
avec douche	*con ducha*	[kón doútcha]
avec baignoire	*con bañadera*	[kón bagnadéra]
chambre pour une personne	*habitación para una persona*	[abitasyón pára oúna persóna]
chambre pour deux personnes	*habitación para dos personas*	[abitasyón pára dós persónas]
cuisinette	*cocinita*	[kosiníta]
divan-lit	*sofá cama*	[sofá káma]
enfant	*niño*	[nígno]
fenêtre	*ventana*	[bentána]
intimité	*intimidad*	[intimidád]
lit deux places	*cama de dos plazas*	[káma de dós plásas]

101

lits jumeaux	camas separadas	[kámas separádas]
minibar	minibar	[minibár]
piscine	piscina	[pisína]
restaurant	restaurante	[restaouránte]
sèche-cheveux	secador de pelo	[sekadór de pélo]
studio	estudio	[estoúdyo]
suite	suite	[swít]
table	mesa	[mésa]
télécopieur	telecopiadora	[telekopyadóra]
téléphone	teléfono	[teléfono]
télévision	televisión	[telebisyón]
chaîne française	canal francés	[kanál fransés]
vue sur la mer	vista al mar	[vista al már]
vue sur la ville	vista a la ciudad	[vista a la syoudá]
vue sur la montagne	vista a la montaña	[vista a la montágna]
le chauffage	la calefacción	[la kalefaksyón]
la climatisation	aire acondicionado, la climatización	[áire acondicionádo | la klimatisasyón]
le coffret de sûreté	la caja de seguridad	[la kája de segouridád]
une couverture	una manta	[oúna mánta]
un couvre-lit	un cubrecama	[koubrekáma]
le drap	la sábana	[la sábana]
de la glace	el hielo	[el yélo]
la lumière	la luz	[la loús]

un oreiller	una almohada	[oúna almwáda]
l'eau purifiée	agua purificada	[ágwa pourifikada]
la radio	la radio	[la rádyo]
le réfrigérateur	el refrigerador	[el refriheradór]
les rideaux	las cortinas	[las kortínas]
du savon	el jabón	[el **h**abón]
une serviette	una toalla	[úna toáya]
le store	la cortina, el estor	[la kortína | el estór]
une taie d'oreiller	una funda de almohada	[oúna foúnda de almoáda]
le téléviseur	el televisor	[el telebisór]
le ventilateur	el ventilador	[el bentiladór]
la cafetière	la cafetera	[kafetéra]
le congélateur	el congelador	[konheladór]
les couverts	los cubiertos	[koubyértos]
le fer à repasser	la plancha eléctrica	[plántcha eléktrika]
la planche à repasser	la tabla de planchar	[tábla de plántchar]
le four à micro-ondes	el horno microondas	[órno mikro:ndás]
l'hôtel-appartement (résidence hôtelière)	el hotel apartamento (hotel residencial)	[otél apartaménto | otél residensyál]
le lave-linge	la lavadora	[labadóra]
le lave-vaisselle	el lavaplatos	[lábaplátos]
la nappe	el mantel	[mantél]
le tire-bouchon	sacacorchos	[sákakórtchos]

Commodités

103

la vaisselle	*los platos, la vajilla*	[plátos | ba**h**íya]
Y a-t-il...	*¿Hay...*	[ái]
une piscine?	*una piscina?*	[oúna pisína]
un gymnase?	*un gimnasio?*	[oun gimnásyo]
un court de tennis?	*un terreno de tenis?*	[oun te**r**éno de ténis]
un terrain de golf?	*un terreno de golf?*	[oun te**r**éno de gólf]
une marina?	*una marina?*	[oúna marína]

Avez-vous une chambre libre pour cette nuit?
¿Tiene una habitación libre para esta noche?
[tyéne ousté oúna abitasyón líbre pára ésta nótche]

Quel est le prix de la chambre?
¿Cuál es el precio de la habitación?
[kwál es el présyo del:abitasión]

La taxe est-elle comprise?
¿El impuesto está incluido en el precio?
[el impwésto está inklwído en el présyo]

Nous voulons une chambre avec salle de bain
Queremos una habitación con baño
[kerémos oúna abitasyón kon bagno]

Le petit déjeuner est-il compris?
¿El desayuno está incluido?
[el desayoúno está inklwído]

Avez-vous des chambres moins chères?
¿Tiene habitaciones menos caras?
[tyéne ousté abitasyónes ménos káras]

Pouvons-nous voir la chambre?
¿Podemos ver la habitación?
[podémos vér la:bitasyón]

Je la prends.
La tomo.
[la tomo]

J'ai une réservation au nom de...?
¿Tengo una reservación a nombre de…?
[téngo oúna **r**eserbasyón a nómbre de…]

On m'a confirmé le tarif de...?
¿Se me ha confirmado la tarifa de…?
[se me a konfirmádo la tarífa de…]

Est-il possible d'avoir une chambre plus calme?
¿Es posible tener una habitación más tranquila?
[es posíble tenér oúna abitasyón más trankíla]

Où pouvons-nous garer la voiture?
¿Dónde podemos (estacionar, parquear) el carro?
[dónde podémos estasyonár el ká**r**o]

Quelqu'un peut-il nous aider à monter nos bagages?

¿Alguien puede ayudarnos a subir nuestro equipaje?

[álgyen pwéde ayoudárnos a subír el ekipáhe]

À quelle heure devons-nous quitter la chambre?

¿A qué hora debemos dejar la habitación?

[a ke óra debémos dehár la:bitasyón]

Peut-on boire l'eau du robinet?

¿Se puede tomar el agua de la canilla/del grifo?

[se pwéde tomar el ágwa de la kaníya/del grífo]

De quelle heure à quelle heure le petit déjeuner est-il servi?

¿De qué hora a qué hora sirven el desayuno?

[de ke óra a ke óra sírben el desayoúno]

Pourrions-nous changer de chambre?

¿Podríamos cambiar de habitación?

[podríamos kambyár de abitasyón]

Nous voudrions une chambre avec vue sur la mer.

Quisiéramos una habitación con vista al mar.

[kisyéramos oúna abitasyón kon bísta al már]

Est-ce que nous pouvons avoir deux clés?

¿Podemos tener dos llaves?

[podémos tenér dós yábes]

De quelle heure à quelle heure la piscine est-elle ouverte?

¿De qué hora a qué hora esta abierta la piscina?

[de ke óra a ke óra está abyérta la pisína]

Où pouvons-nous prendre des serviettes pour la piscine?

¿Dónde podemos tomar (pedir) toallas para la piscina?

[dónde podémos tomar | pedir | toáyas pára la pisína]

Y a-t-il un service de bar à la piscine?

¿Hay un servicio de bar en la piscina?

[ái oun serbísyo de bár en la pisína]

Quelles sont les heures d'ouverture du gymnase?

¿Cuáles son los horarios del gimnasio?

[kwáles son los oráryos del hymnasyo]

Y a-t-il un coffre-fort dans la chambre?

¿Hay una caja fuerte en la habitación?

[ái úna káha fwérte en la abitasyón]

Pouvez-vous me réveiller à...?

¿Puede usted despertarme a…?

[pwéde ousté despertárme a…]

La climatisation ne fonctionne pas.

El aire acondicionado no funciona.

[El áire acondisionádo no founsyóna]

Commodités

107

La cuvette des toilettes est bouchée.

El baño está atascado.

[el bágno está ataskado]

Il n'y a pas de lumière.

No hay luz.

[no ái loús]

Puis-je avoir la clé du coffret de sûreté?

¿Puedo tener la llave del cofre de seguridad?

[pwédo tenér la yábe del kófre de segouridá]

Le téléphone ne fonctionne pas.

El teléfono no funciona.

[el teléfono no founsyóna]

Avez-vous des messages pour moi?

¿Tiene usted mensajes para mí?

[tyéne ousté mensáhes pára mí]

Avez-vous reçu un fax pour moi?

¿Recibió usted un fax para mí?

[resibyó usté oun faks pára mí]

Pouvez-vous nous appeler un taxi?

¿Puede usted llamarnos un taxi?

[pwéde ousté yamárnos oun táksi]

Pouvez-vous nous appeler un taxi pour demain à 6 h?

¿Puede usted llamarnos un taxi para mañana a las seis?

[pwéde ousté yamárnos oun táksi para magnána a las séys]

Nous partons maintenant.

Partimos ahora.

[Partímos ahóra]

Pouvez-vous préparer la facture?

¿Puede usted preparar la factura?

[pwéde ousté preparár la faktoúra]

Je crois qu'il y a une erreur sur la facture.

Creo que hay un error en la factura.

[kréo ke ái oun erór en la faktoúra]

Pouvez-vous faire descendre nos bagages?

¿Puede usted hacer bajar nuestro equipaje?

[pwéde ousté asér bahar nwéstro ekipáhe]

Pouvez-vous garder nos bagages jusqu'à...?

¿Puede usted guardar nuestro equipaje hasta...?

[pwéde ousté gwardár nwéstro ekipáhe ásta...]

Merci pour tout, nous avons fait un excellent séjour chez vous.

Gracias por todo, hemos pasado una excelente estancia con ustedes.

[grásyas por tódo émos pasádo úna ekselénte estánsya kon oustédes]

Nous espérons revenir bientôt.
Esperamos volver pronto.
[esperámos bolvér prónto]

RESTAURANT - *RESTAURANTE*

Type de cuisine – *Tipo de cocina*

Pouvez-vous nous recommander un restaurant…?
¿Puede recomendarnos un restaurante…?
[pwéde rekomendárnos oun restaouránte]

chinois	*chino*	[tchino]
français	*francés*	[fransés]
indien	*indio*	[índyo]
italien	*italiano*	[italyáno]
japonais	*japonés*	[**h**aponés]
mexicain	*mexicano*	[mehikáno]

Choisir une table – *Elegir una mesa*

près de la fenêtre	*cerca de la ventana*	[sérka de la bentána]
en haut	*arriba*	[a**r**íba]
en bas	*abajo*	[abá**h**o]
banquette	*banqueta*	[bankéta]
chaise	*silla*	[síya]

cuisine	cocina	[kosína]
fenêtre	ventana	[bentána]
salle à manger	comedor	[komedór]
terrasse	terraza	[terása]
toilettes	baño	[bágno]
table	mesa	[mésa]

Plats – *Platos*

petit déjeuner	desayuno	[desayoúno]
déjeuner	almuerzo	[almwérso]
dîner	cena, comida	[séna	komída]

émincé	cortado muy fino	[kortádo mwí fíno]
au four	al horno	[al órno]
gratiné	tostado, al horno	[tostádo	al órno]
entrée	entrada	[entráda]
soupe	sopa	[sópa]
plat	plato	[pláto]
plat principal	plato principal	[pláto prinsipál]
plats végétariens	platos vegetarianos	[plátos behetaryános]
sandwich	sandwich, emparedado	[sangwítch	emparedádo]
salade	ensalada	[ensaláda]
fromage	queso	[késo]
dessert	postre	[póstre]

Commodités

Alcools – *Licores*

apéritif	*aperitivo*	[aperitíbo]
avec glaçons	*con hielo*	[kón yélo]
bière	*cerveza*	[serbésa]
bouteille	*botella*	[botéya]
carte des vins	*carta de vinos*	[kárta de bínos]
demi-bouteille	*media botella*	[médya botéya]
digestif	*digestivo*	[dihestíbo]
doux	*dulce*	[doúlse]
mousseux	*espumoso*	[espoumóso]
sans glaçons	*sin hielo*	[sín yélo]
un demi	*una media*	[úna médya]
un quart	*un cuarto*	[ún kwárto]
vin	*vino*	[bíno]
vin blanc	*vino blanco*	[bíno blánko]
vin du pays	*vino del país*	[bíno del país]
vin maison	*vino casero, de la casa*	[bíno kaséro | de la kása]
vin rouge	*vino tinto*	[bíno tínto]
vin sec	*vino seco*	[bíno séko]

Boissons – *Bebidas*

café	*café*	[kafé]
café avec du lait	*café con leche*	[kafé kón létche]
crème	*crema*	[kréma]
eau minérale	*agua mineral*	[ágwa minerál]
eau minérale pétillante	*agua mineral con soda*	[ágwa minerál kon sóda]
express	*expreso*	[ekspréso]
jus	*jugo*	[**h**oúgo]
jus d'orange	*jugo de naranja*	[hoúgo de naránha]
lait	*leche*	[létche]
sucre	*azúcar*	[asoúkar]
thé	*té*	[té]
tisane	*tisana*	[tisána]

Couverts – *Cubiertos*

l'assiette	*el plato*	[el pláto]
le cendrier	*el cenicero*	[el seniséro]
le couteau	*el cuchillo*	[el koutchiyo]
la cuillère	*la cuchara*	[la koutchára]
la fourchette	*el tenedor*	[el tenedór]
le menu	*el menú*	[el menoú]
la serviette de table	*la servilleta*	[la serbiyéta]
la soucoupe	*el platillo*	[el platíyo]

Commodités

113

| la tasse | la taza | [la tása] |
| le verre | el vaso | [el báso] |

Je voudrais faire une réservation pour deux personnes vers 20 heures.
Quisiera hacer una reservación para dos personas a las 20 horas.
[kisyéra asér oúna reserbasyón pára dos persónas a las beinte óras]

Est-ce que vous aurez de la place plus tard?
¿Tendrá usted una mesa más tarde?
[tendrá ousté ouna mesa más tárde]

Je voudrais réserver pour demain soir.
Quisiera reservar para mañana por la noche.
[kisyéra reserbár pára magnána por la notché]

Quelles sont les heures d'ouverture du restaurant?
¿Cuáles son los horarios en que está abierto el restaurante?
[kwáles són los oráryos en ke está abyerto el restauránte]

Acceptez-vous les cartes de crédit?
¿Acepta usted tarjeta de crédito?
[asépta ousté tarhéta de krédito]

J'aimerais voir le menu.
Me gustaría ver el menú.
[me goustaría ber el menoú]

Je voudrais une table sur la terrasse.

Quiero una mesa en la terraza.

[kyéro oúna mésa en la terása]

Pouvons-nous simplement prendre un verre?

¿Podemos simplemente tomar un trago?

[podémos símpleménte tómar oun trágo]

Pouvons-nous simplement prendre un café?

¿Podemos simplemente tomar un café?

[podémos símpleménte tómar oun kafé]

Je suis végétarien/ne.

Soy vegetariano/a.

[sói behetariáno/a]

Je ne mange pas de porc.

No como puerco/cerdo.

[no kómo pwérko/sérdo]

Je suis allergique aux noix.

Soy alérgico a las nueces.

[sói alérhiko: las nwéses]

Je suis allergique aux œufs.

Soy alérgico al huevo.

[sói alérhiko al wébo]

Servez-vous du vin au verre?

¿Puedo tomar sólo un vaso de vino?

[pwédo tomar sólo oun baso de bino]

Nous n'avons pas eu...

No hemos tenido…

[no émos tenído]

J'ai demandé...

Pedí

[pedí]

C'est froid.

Está frío.

[está frío]

C'est trop salé.

Está muy salado.

[está mwi saládo]

Ce n'est pas frais.

No está fresco.

[no está frésko]

L'addition, s'il vous plaît.

La cuenta, por favor.

[la kwénta, por fabór]

Le service est-il compris?
¿El servicio está incluido?
[el serbísyo está inclouído]

Merci, ce fut un excellent repas.
Gracias, fue una excelente comida.
[grásyas fwé oúna ekselénte komída]

Merci, nous avons passé une très agréable soirée.
Gracias, hemos pasado una agradable velada/noche.
[grásyas émos pasádo oúna agradáble beláda/nótche]

Le goût – *El sabor*

amer	amargo	[amargo]
doux	*suave*	[suabe]
épicé	*condimentado*	[condimentado]
fade	*sin sabor*	[sin sabor]
piquant	*picante*	[picante]
poivré	*pimentado*	[pimentado]
salé	*salado*	[salado]
sucré	*dulce*	[dulsé]

◆◆◆

amargo	**amer**	[amargo]
condimentado	**épicé**	[condimentado]
dulce	**sucré**	[dulsé]
picante	**piquant**	[picante]

pimentado	**poivré**	[pimentado]
salado	**salé**	[salado]
sin sabor	**fade**	[sin sabor]
suave	**doux**	[suabe]

Petit déjeuner – *Desayuno*

beignets	churros	[tchoúros]
café	café	[kafé]
céréales	cereales	[sereáles]
confiture	mermelada	[mermeláda]
croissant	cangrejo, media luna	[kangrého | média loúna]
fromage	queso	[késo]
fromage frais (fromage blanc)	queso fresco	[késo frésko]
fruits	frutas	[froútas]
jus	jugo, zumo	[hoúgo | soúmo]
madeleine	magdalena	[magdaléna]
miel	miel	[miel]
œufs	huevos	[wébos]
omelette	tortilla	[tortíya]
pain	pan	[pán]
pain de blé entier	pan de trigo, pan negro	[pán de trígo | pán négro]
toasts	tostadas	[tostádas]
yaourt	yogur	[yogoúr]

café	**café**	[kafé]
cangrejo	**croissant**	[kangrého]
cereales	**céréales**	[sereáles]
churros	**beignets**	[tchoúros]
frutas	**fruits**	[froútas]
gofres	**gaufres**	[gófres]
granola	**granola (musli)**	[granóla]
huevos	**œufs**	[wébos]
jugo	**jus**	[**h**oúgo]
magdalena	**madeleine**	[magdaléna]
media luna	**croissant**	[média loúna]
mermelada	**confiture**	[mermeláda]
miel	**miel**	[miel]
pan	**pain**	[pán]
pan de trigo	**pain de blé entier**	[pán de trígo]
pan negro	**pain de blé entier**	[pán négro]
queso	**fromage**	[késo]
queso fresco	**fromage frais (fromage blanc)**	[késo frésko]
tortilla	**omelette**	[tortíya]
tostadas	**toasts**	[tostádas]
yogur	**yaourt**	[yogoúr]
zumo	**jus**	[soúmo]

Commodités

119

Légumes – *Verduras*

ail	*ajo*	[áho]
artichaut	*alcachofa*	[alkatchófa]
asperges	*espárragos*	[espárago]
aubergines	*berenjenas*	[berenhénas]
avocat	*aguacate*	[agwakáte]
betterave	*remolacha*	[remolátcha]
brocoli	*brécol*	[brékol]
carotte	*zanahoria*	[sanaórya]
céleri	*apio*	[ápyo]
champignon	*hongo*	[óngo]
chou	*col, repollo*	[kól | repóyo]
chou-fleur	*coliflor*	[koliflór]
choux de Bruxelles	*col de Bruxelas*	[kól de brousélas]
concombre	*pepino*	[pepíno]
courge	*calabaza*	[kalabása]
courgette	*calabacín*	[kalabasín]
cresson	*berro*	[béro]
endive	*endibias*	[endíbias]
épinard	*espinaca*	[espináka]
fenouil	*hinojo*	[inóho]
haricot	*habichuela, judía*	[abitchwéla | houdía]
haricot noir	*judía negra*	[houdía negra]
laitue	*lechuga*	[letchóuga]

lentilles	*lentejas*	[lentéhas]
maïs	*maíz*	[maís]
navet	*nabo*	[nabo]
oignon	*cebolla*	[sebóya]
piment	*ají*	[ahí]
poireau	*puerro*	[pouéro]
pois	*guisante, arvejas*	[guisánte | arbéhas]
pois chiche	*garbanzo*	[garbánso]
pois mange-tout	*tirabeque*	[tyrabéke]
poivron	*pimiento*	[pimiénto]
pomme de terre	*patata*	[patáta]
radis	*rábanos*	[rábanos]
tomate	*Tomate*	[tomáte]

aguacate	**avocat**	[agwakáte]
ají	**piment**	[ahí]
ajo	**ail**	[áho]
alcachofa	**artichaut**	[alkatchófa]
apio	**céleri**	[ápyo]
arvejas	**pois**	[arbéhas]
berenjenas	**aubergines**	[berenhénas]
berro	**cresson**	[béro]
brécol	**brocoli**	[brékol]
calabacín	**courgette**	[kalabasín]

calabaza	**courge**	[kalabása]
cebolla	**oignon**	[sebóya]
col de Bruxelas	**choux de Bruxelles**	[kól de brousélas]
col	**chou**	[kól]
coliflor	**chou-fleur**	[koliflór]
endibias	**endive**	[endíbias]
espárragos	**asperges**	[espárrago]
espinaca	**épinards**	[espináka]
fríjol	**haricot rouge**	[frihól]
garbanzo	**pois chiche**	[garbánso]
guisante	**pois**	[guisánte]
habichuela	**haricot**	[abitchwéla]
hinojo	**fenouil**	[inóho]
hongo	**champignon**	[óngo]
judía	**haricot**	[houdía]
judía negra	**haricot noir**	[houdía negra]
lechuga	**laitue**	[letchoúga]
lentejas	**lentilles**	[lentéhas]
maíz	**maïs**	[maís]
nabo	**navet**	[nabo]
patata	**pomme de terre**	[patáta]
pepino	**concombre**	[pepíno]
pimiento	**poivron**	[pimiénto]
puerro	**poireau**	[pouérro]
rábanos	**radis**	[rábanos]

Commodités

122

remolacha	**betterave**	[remolátcha]
repollo	**chou**	[repóyo]
tirabeque	**pois mange-tout**	[tyrabéke]
tomate	**tomate**	[tomáte]
zanahoria	**carotte**	[sanaórya]

Fruits – *Frutas*

abricot	*albaricoque, damasco*	[albarikoke | damásko]
amandes	*almendras*	[alméndras]
ananas	*piña, ananás*	[pígna | ananás]
arachides	*cacahuetes (maní)*	[kakaouétes], [maní]
banane	*plátano fruta*	[plátano froúta]
cerise	*cereza*	[serésa]
citron	*limón*	[limón]
citrouille (potiron)	*calabaza*	[kalabása]
clémentine	*mandarina*	[mandarína]
coco	*coco*	[kóko]
figue	*higo*	[hígo]
fraise	*fresas*	[frésas]
framboise	*frambuesa*	[franbwésas]
griotte	*guinda*	[gouínda]
kiwi	*kiwi*	[kígwi]
lime	*lima*	[líma]
mandarine	*mandarina*	[mandarína]

Commodités

mangue	*mango*	[mángo]
melon	*melón*	[melón]
mûr/e	*maduro/a*	[madoúro/a]
mûre	*mora*	[móra]
noisettes	*avellanas*	[aveyíanas]
noix	*nueces*	[nouéses]
olive	*aceituna, oliva*	[aseitoúna | oliba]
orange	*naranja*	[naránha]
pamplemousse	*pomelo*	[pomélo]
pêche	*melocotón*	[melokotón]
pistache	*pistachos*	[pistátchos]
poire	*pera*	[péra]
pomelo	*pomelo grande*	[pomélo gránde]
pomme	*manzana*	[mansána]
prune	*ciruela*	[sirwéla]
pruneau	*ciruela pasa*	[sirouéla pása]
raisin	*uva*	[oúba]
raisins secs	*pasas*	[pásas]
tangerine	*tangerina, mandarina roja*	[tanyerína | mandarína róha]
vert	*verde*	[Bérde]

◆ ◆ ◆

aceituna	**olive**	[aseitoúna]
albaricoque	**abricot**	[albarikoke]
almendras	**amandes**	[alméndras]

Commodités

124

ananás	**ananas**	[ananás]
avellanas	**noisettes**	[aveyíanas]
cacahuetes	**arachides**	[kakaouétes]
calabaza	**citrouille (potiron)**	[kalabása]
cereza	**cerise**	[serésa]
ciruela	**prune**	[sirwéla]
ciruela pasa	**pruneau**	[sirouéla pása]
coco	**coco**	[kóko]
damasco	**abricot**	[damásko]
frambuesa	**framboise**	[franbwésas]
fresas	**fraise**	[frésas]
guinda	**griotte**	[gouínda]
higo	**figue**	[hígo]
kiwi	**kiwi**	[kígwi]
lima	**lime**	[líma]
limón	**citron**	[limón]
maduro/a	**mûr/e**	[madoúro/a]
mandarina	**clémentine, tangerine, mandarine**	[mandarína]
mango	**mangue**	[mángo]
maní	**arachide**	[maní]
manzana	**pomme**	[mansána]
melocotón	**pêche**	[melokotón]
melón	**melon**	[melón]
mora	**mûre**	[móra]

Commodités

125

naranja	**orange**	[naránha]
nueces	**noix**	[nouéses]
oliva	**olive**	[oliba]
pasas de uva	**raisins secs**	[pásas de oúva]
pera	**poire**	[péra]
piña	**ananas**	[pígna]
pistachos	**pistache**	[pistátchos]
plátano fruta	**banane**	[plátano froúta]
pomelo	**pamplemousse**	[pomélo]
pomelo grande	**pomélo**	[poméló gránde]
tangerina	**tangerine**	[tanyerína]
uva	**raisin**	[oúba]
verde	**vert**	[bérde]

Viandes – *Carnes*

à la poêle	*a la sartén*	[a la sartén]
à point (médium)	*punto medio*	[poúnto médyo]
agneau	*cordero*	[kordéro]
au charbon de bois	*al carbón*	[al karbón]
bien cuit	*bien cocido*	[byén kosído]
bifteck	*bistec, bisté*	[bifték | bisté]
bœuf	*buey*	[bouéy]
boudin	*morcilla*	[morsíya]
boulette	*albóndigas*	[albóndigas]

brochette	*broqueta*	[brokéta]
caille	*codorniz*	[kodornís]
canard	*pato*	[páto]
cervelle	*sesos*	[sésos]
chapon	*pollo de cría*	[póyo de kría]
chèvre	*cabra*	[kábra]
chevreau	*cabrito*	[kabríto]
côtelette	*costilla*	[kostíya]
cru	*crudo*	[króudo]
cubes	*cubos*	[koúbos]
cuisse	*muslo*	[moúslos]
dinde	*pavo*	[pábo]
échine	*lomo*	[lómo]
entrecôte	*entrecote, solomillo*	[entrekóte | solomíyo]
escalope	*escalope*	[eskalópe]
farci	*relleno*	[reyéno]
filet	*filete*	[filéte]
foie	*hígado*	[ígado]
fumé	*ahumado*	[aoumádo]
grillade	*asado*	[asádo]
haché	*picado/a*	[pikádo]
jambon	*jamón*	[**h**amón]
jarret	*patas, corva*	[patas | kórba]
langue	*lengua*	[léngwa]
lapin	*conejo*	[koné**h**o]
lièvre	*liebre*	[lyébre]

Commodités

127

magret	*filete de pato*	[filéte de páto]
oie	*ganso/a*	[gánso/a]
pané	*empanizado*	[empanisádo]
pattes	*patas*	[pátas]
perdrix	*perdiz*	[perdís]
poitrine	*pechuga*	[petchoúga]
porc	*puerco, cerdo*	[pwérko | serdo]
poulet	*pollo*	[póyo]
rognons	*riñones*	[rignónes]
rosé	*rojizo*	[rohíso]
rôti	*asado*	[asádo]
saignant	*sangriento*	[sangryénto]
sanglier	*jabalí*	[**h**abalí]
sur le gril	*a la parrilla*	[a la paríya]
tartare	*tártara*	[tártara]
tranche	*cortado, picado*	[kortádo | pikádo]
veau	*ternero*	[ternéro]
venaison	*venado*	[benádo]
viande	*carne*	[kárne]
volaille	*aves*	[ábes]

◆◆◆

a la sartén	**à la poêle**	[a la sartén]
a la parrilla	**sur le gril**	[a la paríya]
ahumado	**fumé**	[aoumádo]

al carbón	**au charbon de bois**	[al karbón]
albóndigas	**boulette**	[albóndigas]
asado	**grillade, rôti**	[asádo]
aves	**volaille**	[ábes]
bien cocido	**bien cuit**	[byén kosído]
bisté	**bifteck**	[bisté]
bistec	**bifteck**	[bifték]
broqueta	**brochette**	[brokéta]
buey	**bœuf**	[bouéy]
cabra	**chèvre**	[kábra]
cabrito	**chevreau**	[kabríto]
carne	**viande**	[kárne]
cerdo	**porc**	[serdo]
codorniz	**caille**	[kodornís]
conejo	**lapin**	[koného]
corva	**jarret**	[kórba]
cordero	**agneau**	[kordéro]
cortado	**tranche**	[kortádo]
costilla	**côtelette**	[kostíya]
crudo	**cru**	[kroúdo]
cubos	**cubes**	[koúbos]
empanizado	**pané**	[empanisádo]
entrecote	**entrecôte**	[entrekóte]
escalope	**escalope**	[eskalópe]
filete	**filet**	[filéte]

Commodités

129

filete de pato	**magret**	[filéte de páto]
ganso/a	**oie**	[gánso/a]
hígado	**foie**	[ígado]
jabalí	**sanglier**	[**h**abalí]
jamón	**jambon**	[hamón]
lengua	**langue**	[léngwa]
liebre	**lièvre**	[lyébre]
lomo	**échine**	[lómo]
morcilla	**boudin**	[morsíya]
muslo	**cuisse**	[moúslos]
patas	**pattes**	[pátas]
jarrete	**jarret**	[**ha**reté]
pato	**canard**	[páto]
pavo	**dinde**	[pábo]
pechuga	**poitrine**	[petchoúga]
perdiz	**perdrix**	[perdís]
picado	**haché, tranche**	[pikádo]
pollo	**poulet**	[póyo]
pollo de cría	**chapon**	[póyo de kría]
puerco	**porc**	[pwérko]
punto medio	**à point (médium)**	[poúnto médyo]
relleno	**farci**	[reyéno]
riñones	**rognons**	[rignónes]
rojizo	**rosé**	[ro**h**íso]
sangriento	**saignant**	[sangryénto]
sesos	**cervelle**	[sésos]

solomillo	**entrecôte**	[olomíyo]
tártara	**tartare**	[tártara]
ternero	**veau**	[ternéro]
venado	**venaison**	[benádo]

Poissons et fruits de mer – *Pescados y mariscos*

anchois	*anchoas*	[antchóas]
anguille	*anguila*	[anguíla]
calmar	*calamar*	[kalamár]
colin	*merluza*	[merloúsa]
coquille Saint-Jacques	*vieira*	[viéira]
crabe	*cangrejo*	[kangrého]
crevettes	*camarones*	[kamarónes]
darne	*rodaja*	[rodaha]
dorade	*dorada*	[doráda]
espadon	*pez espada*	[pes espáda]
filet	*filete*	[filéte]
hareng	*arenque*	[arénke]
huîtres	*ostras*	[óstra]
langouste	*langosta*	[langósta]
langoustine	*cigala*	[sigála]
loup de mer	*lobo de mar*	[lóbo de már]
merlan	*pescadilla*	[pescadíya]

Commodités

131

morue	*bacalao*	[bakaláo]
moules	*mejillones*	[mehiyónes]
oursin	*erizo*	[eríso]
palourdes	*cobo, caracol*	[kóbo | karakól]
pétoncles	*petchina*	[petchina]
pieuvre	*pulpo pequeño*	[poúlpo pekégno]
poulpe	*pulpo*	[poúlpo]
raie	*raya*	[ráya]
requin	*tiburón*	[tibourón]
rouget	*salmonete*	[salmonéte]
sardines	*sardinas*	[sardínas]
saumon	*salmón*	[salmón]
saumon fumé	*salmón ahumado*	[salmón aoumádo]
sole	*lenguado*	[lengwádo]
thon	*atún*	[atoún]
truite	*trucha*	[troútcha]
turbo	*turbo*	[toúrbo]
turbot	*rodaballo*	[rodabáyio]

◆ ◆ ◆

anchoas	**anchois**	[antchóas]
anguila	**anguille**	[anguíla]
arenque	**hareng**	[arénke]
atún	**thon**	[atoún]
bacalao	**morue**	[bakaláo]

calamar	**calmar**	[kalamár]
camarones	**crevettes**	[kamarónes]
cangrejo	**crabe**	[kangrého]
caracol	**palourdes**	[karakól]
cigala	**langoustine**	[sigála]
cobo	**palourdes**	[kóbo]
dorada	**dorade**	[doráda]
erizo	**oursin**	[eríso]
filete	**filet**	[filéte]
langosta	**langouste**	[langósta]
lenguado	**sole**	[lengwádo]
lobo de mar	**loup de mer**	[lóbo de már]
mejillones	**moules**	[mehiyónes]
merluza	**colin**	[merloúsa]
ostras	**huîtres**	[óstra]
pescadilla	**merlan**	[pescadíya]
petchina	**pétoncles**	[petchina]
pez espada	**espadon**	[pes espáda]
pulpo	**poulpe**	[poúlpo]
pulpo pequeño	**pieuvre**	[poúlpo pekégno]
raya	**raie**	[ráya]
rodaballo	**turbot**	[rodabáyio]
rodaja	**darne**	[rodaha]
salmón	**saumon**	[salmón]
salmón ahumado	**saumon fumé**	[salmón aoumádo]
salmonete	**rouget**	[salmonéte]

Commodités

sardinas	**sardines**	[sardínas]
tiburón	**requin**	[tibourón]
trucha	**truite**	[troútcha]
turbo	**turbo**	[toúrbo]
vieira	**coquille Saint-Jacques**	[viéira]

Épices, herbes et condiments – *Especies, yerbas y condimentos*

beurre	mantequilla	[mantekíya]
basilic	albahaca	[albáaka]
cannelle	canela	[kanéla]
ciboulette	cebolleta	[seboyéta]
curry	curry	[koúri]
gingembre	jengibre	[**h**enhíbre]
menthe	menta	[ménta]
moutarde douce	mostaza suave	[mostása swábe]
moutarde forte	mostaza fuerte, picante	[mostása fwérte | pikánte]
muscade	nuez moscada	[nwés moskáda]
origan	orégano	[orégano]
oseille	acedera	[asedéra]
persil	perejil	[pere**h**il]
poivre	pimienta	[pimyénta]
poivre rose	pimienta roja	[pimyénto ró**h**a]

Commodités

poivron rouge moulu	*pimentón*	[pymentón]
romarin	*romero*	[roméro]
safran	*azafrán*	[asafrán]
sauce	*salsa*	[sálsa]
sauce piquante	*salsa picante*	[sálsa de pikante]
sauge	*salvia*	[sálbya]
sel	*sal*	[sál]
thym	*tomillo*	[tomíyo]
vinaigre	*vinagre*	[vinágre]

mantequilla	**beurre**	[mantekíya]
albahaca	**basilic**	[albáaka]
canela	**cannelle**	[kanéla]
cebolleta	**ciboulette**	[seboyéta]
curry	**curry**	[koúri]
jengibre	**gingembre**	[henhíbre]
menta	**menthe**	[ménta]
mostaza suave	**moutarde douce**	[mostása swábe]
mostaza fuerte, picante	**moutarde forte**	[mostása fwérte | pikánte]
nuez moscada	**muscade**	[nwés moskáda]
orégano	**origan**	[orégano]
acedera	**oseille**	[asedéra]

Commodités

135

perejil	**persil**	[perehíl]
pimienta	**poivre**	[pimyénta]
pimienta roja	**poivre rose**	[pimyénto róha]
pimentón	**poivron rouge moulu**	[pymentón]
romero	**romarin**	[roméro]
azafrán	**safran**	[asafrán]
salsa	**sauce**	[sálsa]
salsa picante	**sauce piquante**	[sálsa de pikante]
salvia	**sauge**	[sálbya]
sal	**sel**	[sál]
tomillo	**thym**	[tomíyo]
vinagre	**vinaigre**	[vinágre]

Desserts – Postres

caramel	caramelo	[karamélo]
chocolat	chocolate	[tchokoláte]
crème-dessert	crema postre (natillas)	[kréma póstre | natiyas]
flan	flan	[flán]
gâteau	pastel	[pastel]
glace (crème glacée)	helado	[eládo]
meringue	merengue	[meréngue]
mousse au chocolat	mousse de chocolate	[mousse de tchokoláte]

pâtisserie	*repostería, pastelería*	[repostería | pastelería]
sorbet	*sorbeto, sorbete*	[sorbéto | sorbéte]
tarte	*tarta*	[tarta]
pouding	*pudín*	[poúdin]
pâte d'amandes	*almendrado*	[almendrádo]
palmier	*palmeras*	[palméras]
biscuits	*galletas*	[gayétas]
vanille	*vainilla*	[bayníya]

caramelo	**caramel**	[karamélo]
almendrado	**pâte d'amandes**	[almendrádo]
chocolate	**chocolat**	[tchokoláte]
crema postre (natillas)	**crème-dessert**	[kréma póstre | natiyas]
dulcería	**pâtisserie**	[doulsería]
flan	**flan**	[flán]
galletas	**biscuits**	[gayétas]
helado	**glace (crème glacée)**	[eládo]
merengue	**meringue**	[meréngue]
mousse de chocolate	**mousse au chocolat**	[mousse de tchokoláte]
palmeras	**palmier**	[palméras]
pastel	**gâteau**	[pastel]
pudín	**pouding**	[poúdin]

Commodités

sorbete	**sorbet**	[sorbéte]
sorbeto	**sorbet**	[sorbéto]
tarta	**tarte**	[tarta]
vainilla	**vanille**	[bayníya]

Gastronomie –
Gastronomía

La *paella* [la paéyia] est un mets à base de riz épicé (safran, poivre de Cayenne) cuit dans un poêlon. Ce plat illustre, qui représente le pays comme nul autre, n'est pas préparé selon une recette formelle. On peut bien sûr ajouter à une bonne paella du poulet, du porc, des crustacés, des mollusques, de l'anguille, des calmars, des haricots, des petits pois, des artichauts et des piments. Sans oublier le safran, ce condiment jaune dont les Valenciens (riz safrané) partagent le secret avec les Milanais (riz à la milanaise) et les Marseillais (bouillabaisse).

La *sopa al ajo* [la sópa al áho] (la soupe à l'ail): ne comprend que du pain, de l'ail, de l'huile et du piment en poudre, de sorte que la recette dépend du flair de la personne qui l'apprête.

Le *cocido* [kosído] et les *callos* [káyios] (les tripes). Les tripes à la madrilène sont préparées avec des tomates, des oignons, du laurier et du thym. On y ajoute généralement du boudin, du chorizo et des morceaux de jambon.

Le *pulpo* [poúlpo] (le poulpe) est un plat très populaire en Galice.

L'*empanada*, premier symbole du «galicianisme», se fait avec une farce (aux variantes innombrables) à base de viande ou de poisson et d'oignons, qu'on dispose entre deux fines couches de pâte épicée au safran et badigeonnée d'huile (pour qu'elle ne sèche pas).

El lacón con grelos [el lakón con grélos] (le jambonneau aux feuilles de navet). Le *lacón* est la patte de devant du porc qu'on fait cuire avec des feuilles de navet. Seul le bouillon de cuisson est utilisé, et ce, pour accompagner un *chorizo* et quelques pommes de terre ou *cachelos* par convive. Il a un goût légèrement amer que lui donnent les feuilles de navet et qui se révèle unique.

La *tapa* [la tápa]. Les tapas se définissent généralement comme de petites portions de presque n'importe quel plat, traditionnellement servies avec la *bebida* (boisson, apéritif ou non). Les tapas les plus classiques sont celles qui consistent en une tranche *(loncha)* de charcuterie *(embutido)* accompagnée ou non d'un bout de pain frais.

Commodités

SORTIES - *SALIDAS*

Divertissements – *Diversión*

ballet	*ballet*	[balé]
billetterie	*taquilla*	[takíya]
cinéma	*cine*	[síne]
concert	*concierto*	[konsyérto]
danse folklorique	*danza folklórica*	[dánza folklórika]
entracte	*entreacto*	[entreákto]
folklore	*folklore*	[folklór]
guichet	*taquilla*	[takíya]
opéra	*ópera*	[ópera]
programme	*programa*	[prográma]
siège	*asiento*	[asyénto]
siège réservé	*asiento reservado*	[asyénto reservado]
soccer	*fútbol*	[foútbol]
spectacle	*espectáculo*	[espektákoulo]
théâtre	*teatro*	[teátro]

Les places les moins chères
Los asientos más baratos
[los asyéntos más barátos]

Les meilleures places
Los mejores asientos
[los mehóres asyéntos]

Je voudrais... places.
Quisiera… asientos .
[kisyéra… asyéntos]

Est-ce qu'il reste des places pour...?
¿Quedan asientos para…?
[kédan asyéntos]

Quel jour présente-t-on...?
¿Qué día presentan…?
[ké día preséntan…]

Est-ce en version originale?
¿Es en versión original?
[es en bersyón orihinál]

Est-ce sous-titré?
¿Está subtitulado?
[está soubtitouládo]

La vie nocturne – *La vida nocturna*

l'apéritif	*el aperitivo*	[el aperitíbo]
bar	*bar*	[bár]
bar gay	*bar de gays*	[bár de géis]
barman	*barman, camarero*	[bárman, camarero]
boîte de nuit	*cabaré, dáncing*	[kabaré, dánsin]

Commodités

chanteur	cantante	[kantánte]
consommation	consumo	[konsoúmo]
danse	baile	[báyle]
discothèque	discoteca	[diskotéka]
entrée ($)	entrada	[entráda]
jazz	jazz	[yás]
le milieu gay	el ambiente gay	[el ambyénte géi]
musicien	músico	[moúsiko]
musique en direct	música en vivo	[moúsika en vivo]
partie	fiesta	[fyésta]
piste de danse	pista (de baile)	[písta | de báyle]
strip-tease	strip-tease	[estritís]
travesti	travesti	[trabésti]

alcool	alcohol	[alkól]
apéritif	aperitivo	[aperitíbo]
bière	cerveza	[serbésa]
boisson importée	bebida importada	[bebída importáda]
boisson nationale	bebida nacional	[bebída nasyonál]
digestif	digestivo	[dihestíbo]
eau minérale	agua mineral	[ágwa minerál]
eau minérale gazeuse	agua mineral gaseosa	[ágwa minerál gaseósa]
jus d'orange	jugo de naranja	[**h**oúgo de naránha]
soda	soda	[sóda]
sangria	sangria	[sangria]

vermouth	*vermú*	[vermoú]
un verre	*un trago*	[oun trágo]
vin	*vino*	[bíno]

Rencontres – *Encuentros*

affectueux	*cariñoso*	[karignoso]
beau/belle	*bonito/a, guapo/a, hermoso/a*	[boníto/a | gwápo/a | ermóso/a]
célibataire	*soltero/a*	[soltéro/a]
charmant/e	*encantador/a*	[enkantadór/a]
compliment	*complimentos*	[kompliméntos]
conquête	*conquista*	[konkísta]
couple	*pareja*	[paré**h**a]
discret/ète	*discreto/a*	[diskréto/a]
divorcé/e	*divorciado/a*	[diborsyádo/a]
draguer	*ligar*	[ligar]
enchanté/e	*encantado/a*	[enkantádo/a]
fatigué/e	*fatigado/a*	[fatigádo/a]
femme	*mujer*	[mou**h**ér]
fidèle	*fiel*	[fiél]
fille	*chica, muchacha*	[tchika | moutchátcha]
garçon	*chico, muchacho*	[tchiko | moutchátcho]
gay	*gay, homosexual*	[géi | omosekswál]
grand/e	*grande*	[gránde]
homme	*hombre*	[ómbre]

Commodités

143

invitation	*invitación*	[inbitasyón]
inviter	*invitar*	[inbitár]
ivre	*borracho, ebrio, curda*	[bor**á**tcho | ébrio | kourda]
jaloux/se	*celoso/a*	[selóso/a]
jeune	*joven*	[**h**óben]
joli/e	*bonito/a, lindo/a*	[boníto/a | líndo/a]
jouer au billard	*jugar al billar*	[**h**ougár al biyár]
laid/e	*feo/a*	[féo/a]
macho	*macho*	[mátcho]
marié/e	*casado/a*	[kasádo/a]
mignon/ne	*bonito/a, hermoso/a*	[boníto/a | hermóso/a]
personnalité	*personalidad*	[personalidá]
petit/e	*pequeño/a*	[pekégno/a]
prendre un verre	*tomar (darse), un trago*	[tomar | dárse | oun trágo]
rendez-vous	*cita*	[síta]
santé (pour trinquer)	*¡salud!*	[saloúd]
séparé/e	*separado/a*	[separádo/a]
seul/e	*solo/a*	[sólo/a]
sexe sûr	*sexo seguro*	[sékso segoúro]
sexy	*sexy*	[séksi]
sympathique	*simpático*	[simpátiko]
vieux/eille	*viejo/a*	[byé**h**o/a]

Comment allez-vous?
¿Cómo está usted?
[kómo está ousté]

Très bien, et vous?
¿Muy bien, y usted?
[mwí byén i ousté]

Je vous présente...
Le presento a...
[le presénto a...]

Pourriez-vous me présenter à cette demoiselle?
¿Podría usted presentarme a esa muchacha?
[podría ousté presentárme a ésa moutchátcha]

À quelle heure la plupart des gens viennent-ils?
¿A qué hora viene la mayoría de las personas?
[a ke óra bjéne la mayoría de las persónas]

À quelle heure est le spectacle?
¿A qué hora es el espectáculo?
[a ke óra es el espéktákoulo]

Bonsoir, je m'appelle...
Buenas noches, me llamo...
[bwénas nótches me yámo...]

Est-ce que cette musique te plaît?
¿Te gusta esa música?
[te goústa ésa moúsika]

Je suis hétérosexuel.
Soy heterosexual.
[sói eterosekswál]

Je suis gay.
Soy gay, homo.
[sói géi]

Je suis lesbienne.
Soy lesbiana.
[sói lesbyána]

Je suis bi-sexuel/le.
Soy bisexual.
[sói biseskwál]

Est-ce que c'est ton ami, là-bas?
¿Aquél es tu amigo?
[akél es tou amígo]

Lequel?	*¿Cuál?*	[kwál]
le blond	*el rubio*	[el roúbyo]
le brun	*el moreno*	[el moreno]
le roux	*el pelirrojo*	[el peliróho]

Est-ce que tu prends un verre?
¿Tomas un trago?
[tómas oun trágo]

Qu'est-ce que tu prends?
¿Qué vas a tomar?
[ke bás a tómar]

De quel pays viens-tu?
¿De qué país vienes tú?
[de ke país byénes toú]

Es-tu ici en vacances ou pour le travail?
¿Estás aquí de vacaciones o por trabajo?
[estás akí de bakasyónes o por trabáho]

Que fais-tu dans la vie?
¿Qué haces en la vida?
[ke áses en la vída]

Habites-tu ici depuis longtemps?
¿Vives aquí desde hace tiempo?
[bíbes akí désde áse tyémpo]

Ta famille vit-elle également ici?
¿Tu familia vive también aquí?
[tou famílya bíbe tambyén akí]

Commodités

As-tu des frères et sœurs?

¿Tienes hermanos?

[tyénes ermános]

Est-ce que tu viens danser?

¿Vienes a bailar?

[byénes a baylár]

Nous cherchons un endroit tranquille pour bavarder.

Busquemos un lugar tranquilo para charlar.

[bouskémos oun lougár trankílo pára tcharlár]

Tu es bien mignon/ne.

Eres muy lindo/a, bonito/a, hermoso/a.

[éres mwi líndo/a | boníto/a | hermóso/a]

As-tu un ami/une amie?

¿Tienes un amigo/a?

[tyénes oun amígo/a]

Quel dommage!

¡Que lástima!

[ke lástima]

As-tu des enfants?

¿Tienes hijos?

[tyénes íhos]

Pouvons-nous nous revoir demain?
¿Podemos volver a vernos mañana?
[podémos bolbér a bérnos magnána]

Quand pouvons-nous nous revoir?
¿Cuándo podemos volver a vernos?
[kwándo podémos bolbér a bérnos]

J'aimerais t'inviter à dîner demain soir.
Me gustaría invitarte a comer mañana por la noche.
[me goustaría imbitárte a komér magnána por la nótche]

Tu viens chez moi?
¿Vienes a mi casa?
[byénes a mi kása]

Pouvons-nous aller chez toi?
¿Podemos ir a tu casa?
[podémos ir a tou kása]

J'ai passé une excellente soirée avec toi.
He pasado una excelente noche contigo.
[he pasádo oúna ekselénte nótche kontígo]

ACHATS - *COMPRAS*

centre commercial	*centro comercial*	[séntro komersyál]
boutique	*tienda*	[tyénda]
cadeau	*regalo*	[regálo]
carte postale	*tarjeta postal*	[tarhéta postál]
marché	*mercado*	[merkádo]
timbres	*sellos, estampillas*	[séyos	estampiyas]
vêtements	*ropas, vestidos*	[rópa	bestídos]

À quelle heure ouvrent les boutiques?

¿A qué hora abren las tiendas?

[a ke óra ábren las tyéndas]

À quelle heure ferment les boutiques?

¿A qué hora cierran las tiendas?

[a ke óra syéran las tyéndas]

Est-ce que les boutiques sont ouvertes aujourd'hui?

¿Las tiendas están abiertas hoy?

[las tyéndas están abyértas ói]

À quelle heure fermez-vous?

¿A qué hora cierra usted?

[a ke óra syéra ousté]

À quelle heure ouvrez-vous demain?
¿A qué hora abre usted mañana?
[a ke óra ábre ousté magnána]

Avez-vous d'autres succursales?
¿Tiene usted otras sucursales?
[tyéne ousté ótras soukoursáles]

Quel est le prix?
¿Cuál es el precio?
[kwál es el présyo]

Combien cela coûte-t-il?
¿Eso cuánto es/cuesta?
[éso kwánto es/kwésta]

En avez-vous des moins chers?
¿Tiene más baratos?
[tyéne más barátos]

Je cherche une boutique de...
Busco una tienda de...
[búsko oúna tyénda de...]

Où se trouve le supermarché le plus près d'ici?
¿Dónde se encuentra el supermercado más cercano?
[dónde se enkwéntra el soupermerkádo más serkáno]

Spécialités – *Varios*

Je voudrais modifier ma date de retour.
Quisiera modificar mi fecha de regreso.
[kisyéra modifikár mi fétcha de **r**egréso]

Je voudrais acheter un billet pour…
Quisiera comprar un billete para…
[kisyéra komprár oun biyéte pára…]

Je voudrais une nouvelle pile pour…
Quisiera una pila nueva para…
[kisyéra ouna píla nwéba pára]

Avez-vous un disque de…?
¿Tiene un disco de…?
[tyéne oun dísko de…]

Quel est le plus récent disque de…?
¿Cuál es el disco más reciente de..?
[kwál es el dísko más **r**esyénte de…]

Est-ce que je peux l'écouter?
¿Lo puedo escuchar?
[lo pwédo eskoutchár]

Pouvez-vous me dire qui chante?
¿Puede decirme quién canta?
[pwéde desírme kyén kánta]

Avez-vous un autre disque de...?
¿Tiene otro disco de...?
[tyéne ótro dísko de...]

Faites-vous les réparations?
¿Hace reparaciones...?
[áse reparasyónes...]

Comment/où puis-je me brancher sur l'internet?
¿Cómo (dónde) puedo conectarme con Internet?
[kómo | dónde | pwédo konektárme kón internét]

Avez-vous des livres en français?
¿Tiene libros en francés?
[tyéne líbros en fransés]

Pouvez-vous laver et repasser cette chemise pour demain?
¿Puede lavar y planchar esta camisa para mañana?
[pwéde lábar i plántchar ésta kamísa pára magnána]

J'ai brisé mes lunettes.
Rompí mis gafas/espejuelos/lentes.
[rompí mís gáfas/espe**h**wélos/léntes]

Je voudrais faire remplacer mes lunettes.
Quisiera cambiar mis gafas.
[kisyéra kambyar mis gáfas]

J'ai perdu mes lunettes.
Perdí mis gafas.
[perdí mis gáfas]

J'ai perdu mes lentilles cornéennes.
Perdí mis lentes de contacto.
[perdí mis léntes de kontákto]

Voici mon ordonnance.
Esta es mi receta.
[ésta es mi reséta]

Je dois passer un nouvel examen de la vue.
Debo hacerme un nuevo examen de la vista.
[débo asérme oun nwébo eksámen de la bísta]

Pouvez-vous me faire un meilleur prix?
¿Puede hacerme un mejor precio?
[pwéde asérme oun mehór présyo]

agent de voyages	*agente de viaje*	[ahénte de byáhe]
aliments naturels	*alimentos naturales*	[aliméntos natouráles]
appareils électroniques	*aparatos electrónicos*	[aparátos elektrónikos]
artisanat	*artesanía*	[artesanía]
atlas routier	*libro de carreteras*	[libro de karetéras]
beau livre	*libro con ilustraciones*	[líbro con iloustrasiónes]
boucherie	*carnicería*	[karnisería]
buanderie	*lavandería*	[labandería]

carte	*mapa*	[mápa]
carte plus précise	*mapa más preciso*	[mápa más presíso]
chaussures	*zapatos*	[sapátos]
coiffeur	*peluquero*	[peloukéro]
dictionnaire	*diccionario*	[diksyonáryo]
disquaire	*tienda de discos*	[tyénda de dískos]
équipement informatique	*equipo de informática*	[ekípo de informátika]
équipement photographique	*equipo de fotografía*	[ekípo de fotografía]
équipement sportif	*equipo deportivo*	[ekípo deportíbo]
guide	*guía*	[guía]
jouets	*juegos*	[**h**wégos]
journaux	*diarios, periódicos*	[dyáryos]
librairie	*librería*	[librería]
littérature	*literatura*	[literatoúra]
livre	*libro*	[líbro]
magazines	*revistas*	[rebístas]
marché d'alimentation	*mercado de alimentos*	[merkádo de aliméntos]
marché d'artisanat	*mercado de artesanía*	[merkádo de artesanía]
marché public	*mercado público*	[merkádo poúbliko]
nettoyeur à sec	*lavado en seco*	[labádo en séko]
oculiste	*oculista*	[okoulísta]
pharmacie	*farmacia*	[farmásya]

Commodités

poésie	poesía	[poesía]
poissonnerie	pescadería	[peskadería]
produits de beauté	productos de belleza	[prodoúktos de beyésa]
quincaillerie	quincallería, ferretería	[kinkayería | ferretería]
Répertoire des rues	repertorio de calles	[repertóryo de káyes]
supermarché	supermercado	[soupermerkádo]

Vêtements – Ropa

anorak	impermeable	[impermeáble]
bas (chaussettes)	medias	[médyas]
bottes	botas	[bótas]
caleçon	calzoncillo, calzones	[kalsonsíyos | kalsónes]
casquette	gorra	[góra]
ceinture	cinto	[sínto]
chandail	suéter, jersey	[swéter | yérsi]
chapeau	sombrero	[sombréro]
chemise	camisa	[kamísa]
complet	traje	[tráhe]
coupe-vent	impermeable	[impermeáble]
cravate	corbata	[korbáta]
culotte	blúmer, panti, calzones	[blúmer | pánti | kalzónes]
jeans	jeans, vaqueros	[yín | bakéros]

jupe	*falda*	[fálda]
maillot de bain	*traje de baño*	[tráhe de bágno]
manteau	*abrigo*	[abrígo]
pantalon	*pantalón*	[pantalón]
peignoir	*bata de casa*	[báta de kása]
pull	*jersey, pulóver*	[yérsi | poulóber]
robe	*vestido*	[bestído]
short	*pantalones cortos*	[pantalónes kortos]
sous-vêtement	*ropa interior*	[rópa interyór]
soutien-gorge	*ajustador*	[ahoustadór]
tailleur	*traje, combinación*	[tráhe | kombinasyón]
t-shirt	*camiseta*	[kamiséta]
veste	*chaqueta*	[tchakéta]
veston	*chaquetón*	[tchaketón]
Vêtements de femmes	*ropa para mujeres*	[rópa pára mouhéres]
vêtements d'enfants	*ropa para niños*	[rópa pára nígnos]
vêtements d'hommes	*ropa para hombres*	[rópa pára ómbres]
vêtements sport	*ropa deportiva*	[rópa deportíba]

Est-ce que je peux l'essayer?
¿me lo puedo probar?
[me lo pwédo probár]

Est-ce que je peux essayer une taille plus grande?

¿Puedo probarme una talla más grande?

[pwédo probárme oúna táya más gránde]

Est-ce que je peux essayer une taille plus petite?

¿Puedo probarme una talla más pequeña?

[pwédo probárme oúna táya más pekégna]

Est-ce que vous faites les rebords? la retouche?

¿Hace los bordes? ¿los retoques?

[áse los bórdes | los **r**etókes]

Est-ce qu'il faut payer pour la retouche?

¿Hay que pagar por los retoques?

[á**i** ke págar por los **r**etókes]

Quand est-ce que ce sera prêt?

Para cuándo estará listo?

[pára kwándo estára lísto]

En avez-vous des plus...

¿Tiene más...

[tyéne más]

grands?	*grandes?*	[grándes]
amples?	*amplios?*	[ámplyos]
clairs?	*claros?*	[kláros]
économiques?	*económicos?*	[ekonómikos]
foncés?	*oscuros?*	[oskoúros]

Commodités

158

larges?	anchos?	[ántchos]
légers?	ligeros?	[lihéros]
petits?	pequeños?	[pekégnos]
serrés?	estrechos?	[estrétchos]
simples?	simples?	[símples]
souples?	suaves?	[swábes]

Tissus – *Telas*

acrylique	acrílico	[akríliko]
coton	algodón	[algodón]
laine	lana	[lána]
lin	lino, hilo	[líno	ílo]
polyester	poliester	[polyéster]
rayonne	rayón (seda artificial)	[rayón (séda artifisyál)]
soie	seda	[séda]

C'est fait de quelle matière?
¿De qué material está hecho?
[de ke materyál está étcho]

Est-ce que c'est 100% coton?
¿Es algodón 100%?
[es algodón sien por siento]

VIE PROFESSIONNELLE -
VIDA PROFESIONAL

Je vous présente...   *le presento/a...*   [le presénto/a...]
enchanté   *encantado/a*   [enkantádo/a]

J'aimerais avoir un rendez-vous avec le directeur.
Me gustaría tener una cita con el director.
[me goustaría tenér oúna síta kón el direktór]

Puis-je avoir le nom du directeur?
¿Puede darme el nombre del director?
[pwéde dárme el nómbre del direktór]

Puis-je avoir le nom de la personne responsable...?
¿Puede darme el nombre de la persona responsable...?
[pwéde dárme el nómbre de la persóna responsáble]

des achats   *de las compras*   [de las kómpras]
de la comptabilité *de la contabilidad*   [de la kontabilidá]
des exportations *de las exportaciones* [de las eksportasyónes]
des importations *de las importaciones* [de las importasyónes]
du marketing   *del marketing*   [del márketin]
du personnel   *del personal*   [del personál]
des ventes   *de las ventas*   [de las béntas]

C'est urgent.
Es urgente.
[es ourhénte]

Commodités

Je suis..., de la société...
Soy..., de la sociedad...
[sói... de la sosyedá...]

Elle n'est pas ici en ce moment.
Ella no está aquí en este momento.
[éya no está akí en éste moménto]

Elle est sortie.
Ella salió.
[éya salyó]

Quand sera-t-elle de retour?
¿Cuándo estará de regreso?
[kwándo estará de regreso]

Pouvez-vous lui demander de me rappeler?
¿Puede decirle que me llame?
[pwéde desírle ke me yáme]

Je suis de passage à Madrid pour trois jours.
Estoy de pasada en Madrid por tres días.
[estói de pasada en madríd por trés días]

**Je suis à l'hôtel... Vous pouvez me joindre au...,
chambre...**
Estoy en el hotel... Puede encontrarme en..., habitación...
[estói en el otél... Pwéde enkontrárme en... | abitasyón...]

**J'aimerais vous rencontrer brièvement pour vous
présenter notre produit.**

*Me gustaría encontrarme un momento con usted para
presentarle nuestro producto.*

[me gustaría enkontrárme oun momento kon ousté pára presentárle nwéstro
prodoúkto]

**J'aimerais vous rencontrer brièvement pour discuter
d'un projet.**

*Me gustaría encontrarle un momento para discutir sobre un
proyecto.*

[me gustaría enkontrárle oun momento pára diskoutír sóbre oun proyékto]

Nous cherchons un distributeur pour...

Buscamos un distribuidor para...

[bouskámos oun distribwidór para...]

Nous aimerions importer votre produit, le...

Nos gustaría importar su producto, el...

[nos goustaría importár sou prodoúkto el...]

Les professions – *Las profesiones*

administrateur/trice	*administrador/a*	[administradór/a]
agent de bord	*tripulante*	[tripoulánte]
agent de voyages	*agente de viajes*	[ahénte de byáhes]
architecte	*arquitecto*	[arkitékto]
artiste	*artista*	[artísta]

athlète	*atleta*	[atléta]
avocat/e	*abogado/a*	[abogádo]
biologiste	*biólogo/a*	[byólogo]
chômeur/se	*estoy sin trabajo, parado/a*	[estói sin trabáho | parádo]
coiffeur/se	*peluquero/a*	[peloukéro]
comptable	*contador/a*	[kontadór]
cuisinier/ère	*cocinero/a*	[kosinéro]
dentiste	*dentista*	[dentísta]
désigner	*diseñador*	[disegnadór]
diététicien/ne	*dietetista*	[dietetísata]
directeur/trice	*director/a*	[direktór]
écrivain/e	*escritor/a*	[eskritór]
éditeur/trice	*editor/a*	[editór]
étudiant/e	*estudiante*	[estoudyánte]
fonctionnaire	*funcionario*	[founsyonáryo]
graphiste	*grafista*	[grafísta]
guide accompagnateur/trice	*guía acompañante*	[gía akompagnánte]
infirmier/ère	*enfermero/a*	[enferméro]
informaticien/ne	*informático/a*	[informátiko]
ingénieur/e	*ingeniero*	[inhenyéro]
journaliste	*periodista*	[peryodísta]
libraire	*librero/a*	[libréro]
mécanicien/ne	*mecánico/a*	[mekániko]
médecin	*médico/a*	[médiko/a]

militaire	militar	[militár]
musicien/ne	músico	[moúsiko]
ouvrier/ère	obrero/a	[obréro/a]
photographe	fotógrafo/a	[fotógrafo/a]
pilote	piloto	[pilóto]
professeur/e	profesor/a	[profesór/a]
psychologue	psicólogo/a	[sikólogo/a]
secrétaire	secretario/a	[sekretáryo/a]
serveur/euse	camarero/a	[kamaréro/a]
technicien/ne	técnico/a	[tékniko/a]
urbaniste	urbanista	[ourbanísta]
vendeur/euse	vendedor/a	[bendedór/a]

Le domaine... – *El campo*...

de la construction	de la construcción	[de la konstrouksyón]
du désign	del diseño	[del diségno]
de l'édition	de la edición	[de la edisyon]
de l'éducation	de la educación	[edoukasyón]
de l'électricité	de la electricidad	[de la elektrisidá]
manufacturier	de la manufactura	[de la manoufaktúra]
des médias	de las comunicaciónes	[komouni-kasyónes]
de la musique	de la música	[de la moúsika]
public	del público	[del poúbliko]
de la restauration	de la restauración	[de la restaourasyón]

de la santé	de la salud	[de la saloú]
du spectacle	del espectáculo	[del espektákoulo]
du sport	del deporte	[del depórte]
des télécommu- nications	de las telecomuni- caciones	[de las telekomouni- kasyónes]
du voyage	de los viajes	[de los byáhes]

Études – *Estudios*

administration	administración	[administrasyón]
architecture	arquitectura	[arkitektoúra]
art	arte	[árte]
biologie	biología	[byología]
comptabilité	contabilidad	[kontabilidá]
diététique	dietética	[dietétika]
droit	derecho	[derétcho]
environnement	medio ambiente	[médio ambiénte]
géographie	geografía	[heografía]
graphisme	grafismo	[grafísmo]
histoire	historia	[istória]
informatique	informática	[informátika]
ingénierie	ingeniería	[inhenyería]
journalisme	periodismo	[peryiodísmo]
langues	lenguas	[léngwas]
littérature	literatura	[literatoúra]
médecine	medicina	[medisína]

Commodités

nursing	*enfermería*	[enferméría]
psychologie	*psicología*	[sikolohía]
sciences politiques	*ciencias políticas*	[syénsyas polítikas]
tourisme	*turismo*	[tourísmo]

Es-tu étudiant?
¿Eres estudiante?
[éres estoudyánte]

Qu'étudies-tu?
¿Qué estudias?
[ke estoúdyas]

FAMILLE - *FAMILIA*

frère	*hermano*	[ermáno]
sœur	*hermana*	[ermána]
mes frères et sœurs	*mis hermanos*	[mis ermános]
mère	*madre*	[mádre]
père	*padre*	[pádre]
fils	*hijo*	[ího]
fille	*hija*	[íha]
grand-mère	*abuela*	[abwéla]
grand-père	*abuelo*	[abwélo]
neveu	*sobrino*	[sobríno]
nièce	*sobrina*	[sobrína]

Commodités

cousin	primo	[prímo]
cousine	prima	[príma]
beau-frère	cuñado	[kougnádo]
belle-sœur	cuñada	[kougnáda]

SENSATIONS ET ÉMOTIONS - *SENSACIONES Y EMOCIONES*

J'ai faim.	Tengo hambre.	[téngo ámbre]
Il a faim.	Él tiene hambre.	[él tyéne ámbre]
Elle a faim.	Ella tiene hambre.	[éya tyéne ámbre]
Nous avons faim.	Tenemos hambre.	[tenémos ámbre]
J'ai soif.	Tengo sed.	[téngo se]
Je suis fatigué/e.	Estoy cansado/a.	[estói kansádo]
J'ai froid.	Tengo frío.	[téngo frío]
J'ai chaud.	Tengo calor.	[téngo kalór]
Je suis malade.	Estoy enfermo/a.	[estói enférmo/a]
Je suis content/e.	Estoy contento/a.	[estói konténto/a]
Je suis heureux/heureuse.	Soy feliz.	[sói felís]
Je suis satisfait/e.	Estoy satisfecho/a.	[estói satisfétcho]
Je suis désolé/e.	Lo siento.	[lo syénto]
Je suis déçu/e.	Estoy defraudado/a.	[estói defraoudádo/a]
Je m'ennuie.	Me aburro.	[me abóurro]
J'en ai assez.	Es suficiente.	[es soufisyénte]
Je suis impatient/e de...	Estoy impaciente de…	[estói:mpasyénte de]
Je m'impatiente.	Me impaciento.	[me impasyénto]

| **Je suis curieux/se de...** | *Tengo curiosidad de…* | [tengo kouryósidéade de] |
| **Je suis égaré/e.** | *Estoy perdido/a.* | [estói perdído/a] |

INDEX

171

Index

172

Index

175

Index

180

181

Index

Index

183

Index

Index

191

Bon de commande Ulysse

Guides de conversation

☐	L'Allemand pour mieux voyager	9,95$	6,99€
☐	L'Anglais pour mieux voyager en Amérique	9,95$	6,99€
☐	L'Anglais pour mieux voyager en Grande-Bretagne	9,95$	6,99€
☐	Le Brésilien pour mieux voyager	9,95$	6,99€
☐	L'Espagnol pour mieux voyager en Amérique latine	9,95$	6,99€
☐	L'Espagnol pour mieux voyager en Espagne	9,95$	6,99€
☐	L'Italien pour mieux voyager	9,95$	6,99€
☐	Le Portugais pour mieux voyager	9,95$	6,99€

Journaux de voyage

☐	Journal de voyage Ulysse - La Plage	12,95$	12,99€
☐	Journal de voyage Ulysse - L'Écrit	12,95$	12,99€

Titre	Qté	Prix	Total
Nom :	Total partiel		
	Port		4,75 $/2,95 €
Adresse :	Total partiel		
	Au Canada TPS 7%		
	Total		
Tél. : Fax :			
Courriel :			
Paiement : ☐ Chèque ☐ Visa ☐ MasterCard			
N° de carte_____ Expiration_____			
Signature_____			

Guides de voyage Ulysse
4176, rue Saint-Denis, Montréal
(Québec) H2W 2M5
☎(514) 843-9447
sans frais ☎ 1-877-542-7247
Fax: (514) 843-9448
info@ulysse.ca

En Europe:
Les Guides de voyage Ulysse, SARL
127, rue Amelot
75011 Paris
☎01.43.38.89.50
Fax: 01.43.38.89.52
voyage@ulysse.ca

www.guidesulysse.com